BEIRDD BRO'R EISTEDDFOD

Golygwyd gan

John Glyn Jones

Diolch i'r beirdd am ganiatáu i ddetholiad o'u gwaith ymddangos yn
y gyfrol hon ac am ymddiried yn y golygydd i ddethol o'r cerddi a
gyflwynwyd iddo. Diolch hefyd i Gwynn Matthews am ei barodrwydd
i lunio cyflwyniad i'r traddodiad barddol ym mro'r Eisteddfod.

Cyhoeddwyd cerddi o eiddo Gwion Lynch gyda chaniatâd caredig
Gwasg Carreg Gwalch.

℗ © John Glyn Jones / Cyhoeddiadau Barddas
Argraffiad cyntaf 2013

ISBN 978 190 6396 62 6

Cyhoeddwyd gyda chymorth ariannol Cyngor Llyfrau Cymru.

Cyhoeddwyd gan Gyhoeddiadau Barddas.
Argraffwyd ganWasg Dinefwr, Llandybïe.

CYNNWYS

Traddodiad Barddol
Sir Ddinbych a'r Cyffiniau

Dywed Syr Thomas Parry yn *Baledi'r Ddeunawfed Ganrif* fod mwyafrif y baledwyr yn dod o 'un rhan arbennig o'r wlad, y pedwar dyffryn, Dyffryn Conwy, Edeirnion, Dyffryn Clwyd a Dyffryn Llangollen a'u hystlysau'. O'r rhan arbennig o'r wlad y cyfeiria Syr Thomas ati y daw beirdd y flodeugerdd hon. Ar hyd y canrifoedd bu'r talp hwn o Gymru yn gynefin beirdd a llenorion, ac nid yw'n anodd deall pam. Mae tirwedd cyfran dda o'r fro ac ansawdd y pridd a'r hin wedi bod yn ffafriol iawn i amaethu llwyddiannus. Ac fel y dywedai'r diweddar Dr Enid Pierce Roberts, 'yr arian sydd gan gymdeithas dros ben sy'n cynnal ei diwylliant'.

Yn ystod degawdau olaf y drydedd ganrif ar ddeg a degawdau cynharaf y ganrif a'i dilynodd gwthiwyd poblogaeth frodorol cymydau Is Aled a Chinmeirch o lawr Dyffryn Clwyd i'r ystlysau bryniog gan y Normaniaid wrth iddynt feddiannu tiroedd yn agos at fwrdeistref Dinbych. Yn raddol, sefydlasant ystadau breision yn y dyffryn, ond dros y cenedlaethau Cymreigiwyd yr uchelwyr hyn yn llwyr, a daethant yn noddwyr llên a'u plastai'n gyrchfan i'r beirdd. Meddai John Glyn Jones yn ei Gywydd Croeso i Eisteddfod Sir Ddinbych a'r Cyffiniau 2001:

> Yn nydd y llys, a nawdd llên,
> a bri ar wobrau'r awen,
> y ddihafal ardal hon
> fu i feirdd yn brif werddon.

O'r ardaloedd y geilw Syr Thomas yn 'ystlysau'r fro', sef y mynydd-dir sy'n cofleidio'r gwastadeddau, y daeth rhai o gynheiliaid amlycaf y traddodiad barddol. Ar ystlys dwyreiniol y fro, Moelydd Clwyd, mae Moel Hiraddug yn dwyn i gof enw Dafydd Ddu Athro o Hiraddug – clerigwr a gynhyrchodd fersiwn o'r Gramadeg Barddol yn y bedwaredd ganrif ar ddeg. Yng nghysgod Moel y Parc saif Caerwys, lleoliad eisteddfodau hollbwysig 1523 ac 1567. Yn Eisteddfod 1523 diwygiwyd rheolau traddodiadol clera a hyfforddiant beirdd a'u cyhoeddi mewn dogfen yn dwyn yr enw (ffug-hanesyddol) Statud Gruffudd ap Cynan.

Enillydd cadair yn Eisteddfod 1523 oedd Tudur Aled (*fl.* 1480–1525). Roedd gwreiddiau un ochr o'i deulu yn ardal Llansannan, ond mae'n bosibl mai brodor o Iâl oedd ef ei hun. Ei brif noddwyr oedd y Salbriaid, teulu plasty Lleweni, ger Dinbych. Yn ddiau, yn ei waith ef gwelir uchafbwynt awen a chrefft Beirdd yr Uchelwyr. Erys tua chant a phump ar hugain o'i gywyddau o hyd, gyda chyfran helaeth ohonynt yn gywyddau mawl. Serch hynny, yr oedd yn ymwybodol iawn o werthoedd arwynebol cymdeithas.

> Ni chredir, yn wir, i neb
> Ond i un â dau wyneb;
> Sy ddrwg sy heddyw ar wir,
> Ar un da ni wrandewir.

Yn Eisteddfod 1567 fe raddiodd Simwnt Fychan (*c.* 1530–1606) o Lanfair Dyffryn Clwyd yn Bencerdd. Yn ei *Pum Llyfr Cerddwriaeth* ceisiodd reoleiddio'r hyn a ddysgid yn yr ysgolion barddol. Dysgodd yntau ei grefft wrth draed Gruffudd Hiraethog (*m.* 1564).

Fel y gwelsom yn achos Tudur Aled, nid oedd ymgorffori enw lle mewn enw barddol yn golygu o angenrheidrwydd mai brodor o'r lle hwnnw oedd y bardd. Saif Mynydd Hiraethog rhwng Dyffryn Clwyd a Dyffryn Conwy, ond brodor o Ddyffryn Llangollen oedd Gruffudd Hiraethog. Gan mai Dr Elis Prys, Plas Iolyn, Pentrefoelas, oedd un o'i brif noddwyr, efallai ei fod yn dewis yr enw 'Hiraethog' i gydnabod ei ddyled. Yr oedd yn achyddwr o fri, ac fe'i gwnaed yn Is-herodr dros

Gymru gan y Coleg Arfau. Yn ogystal â nifer o englynion, y mae ar gael o hyd ddeg awdl a chant ac ugain o gywyddau o'i eiddo.

Ar ystlys gorllewinol Dyffryn Clwyd saif Berain a Llechryd, tiroedd a ddelid yn y bedwaredd ganrif ar ddeg, gyda rhan o diroedd Lleweni ar lawr y dyffryn, gan Ithel Goch, tad Iolo Goch (*c.* 1320 – *c.* 1398). Cywydd enwocaf Iolo, mae'n siŵr, yw'r cywydd i Lys Owain Glyndŵr yn Sycharth.

> Llys barwn, lle syberwyd,
> Lle daw beirdd aml, lle da byd.

Sylwer mai at lys 'barwn', nid tywysog, y cyfeiria Iolo Goch. Bu ef farw cyn dechrau'r gwrthryfel a chyhoeddi Owain yn Dywysog Cymru. Tywysogion oedd rhai o hynafiaid Owain, fodd bynnag, a chawsant hwy eu moli felly gan y beirdd. Un o feirdd Edeyrnion a fu'n eu moli oedd Llygad Gŵr (*fl.* 1258–93). Canodd fawl hefyd i'r Tywysog Llywelyn ap Gruffudd, a gwelodd arwyddocâd cenedlaethol ei deitl, 'Tywysog Cymru'. Cyfarchodd Llywelyn fel aer gorseddau Aberffraw, Mathrafal a Dinefwr.

> Sefis yn rhyfel, diymgel daith,
> Rhag estrawn genedl, gŵyn anghyfiaith;
> Sefid Brenin Nef, breiniawl gyfraith,
> Gan eurwawr aerbair y tair talaith.

Gyda machlud y Canoloesoedd a dyfodiad syniadaeth newydd y Dadeni mynegodd rhai o feirdd 'modern' oes y Tuduriaid amheuon ynglŷn ag ambell agwedd ar y canu traddodiadol, megis y parodrwydd i ganu mawl anhaeddiannol. Un o'r beirdd beirniadol hyn oedd Siôn Tudur (*c.* 1522–1602) o'r Wigfair, ger Llanelwy.

> Llaw'r bardd a wnaeth llawer bai –
> Dwyn achau ac arfau gant
> Oddi ar rywiog i ddrewiant.

Fe gaed yr un gŵyn gan yr Archddiacon Edmwnd Prys (1543/4–1623), brodor o Lanrwst, yn ei ymryson enwog gyda William Cynwal (*m.* 1587/8) o Ysbyty Ifan, wrth iddo gollfarnu anonestrwydd a diffyg chwaeth y beirdd. Ond mewn gwrthgyferbyniad llwyr i'r tensiwn a fodolai rhwng Prys a Cynwal, yr oedd y dyneiddiwr William Salesbury yn llawn edmygedd o waith Gruffudd Hiraethog. Drwy gyfrwng traddodiadol y cywydd, molai Gruffudd Hiraethog y dyneiddwyr hwythau am eu dysg newydd. Enghraifft yw ei fawl i'r dyneiddiwr a'r seneddwr Humphrey Lhuyd o Ddinbych am ei ran yn sicrhau Deddf Cyfieithu'r Beibl i'r Gymraeg yn 1563.

> Perl mewn Tŷ Parlment yw hwn
> Peibl, wyneb pob haelioni,
> A wnaeth yn Act o'n iaith ni.

Bu nawdd yr uchelwyr yn allweddol i gynhaliaeth cyfundrefn y beirdd. Fel noddwyr, yr oedd sicrhau safonau yn bwysig iddynt. Adlewyrchir hyn yn y ffaith fod uchelwyr wedi eu cynnwys ar restr y comisiynwyr yng Nghomisiwn Brenhinol Eisteddfodau Caerwys. Yr oedd rhai ohonynt yn feistri ar y grefft eu hunain, ac yn ei harfer er mwyn difyrru eu hunain yn unig. Mae Gwilym Ganoldref, sef y Capten William Midleton (*fl.* 1550–1600) o Lansannan yn enghraifft arwyddocaol. Yn 1593 cyhoeddodd *Bardhoniaeth, neu brydydhiaeth,* a fwriadwyd fel cyflwyniad i gerdd dafod ar gyfer y rhai nad oedd am arfer y grefft eu hunain, hynny yw, i oleuo'i gyd-foneddigion. Cyflawnodd orchest wrth fydryddu'r holl salmau, a hynny ym mesurau'r canu caeth. Wrth gwrs, nid yw ei salmau ef yn ganadwy gan gynulleidfa fel rhai godidog Edmwnd Prys, serch hynny, maent yn gampwaith. Yr oedd yn gymeriad lliwgar. Canodd gywydd i'r 'Bêl Droed', er yr ymddengys ei gwneuthuriad braidd yn wahanol i'r hyn sy'n gyfarwydd i ni!

> Pypgyn o groenyn grinwyw
> Bola pair yn llawn gwair gwyw

Bu'n filwr a threuliodd flynyddoedd ar y môr yng ngwasanaeth y
Goron.

Uchelwr arall o'r fro a geisiodd wneud ei ffortiwn ar y môr oedd
Tomos Prys, (1564?–1634) o Blas Iolyn. Yr oedd yntau hefyd yn hyddysg
yn y grefft farddol, a bu rhai yn tybied fod ysgol farddol ym Mhlas
Iolyn. Afradu ei etifeddiaeth a wnaeth Tomos. Prynodd long i geisio'i
lwc fel môr-leidr, ond siomiant chwerw fu'r cyfan. Sylweddolodd yn
rhy hwyr fod byd y bugail yn fwy diogel na byd yr herwr!

> Am a gefais, o'm gofal,
> Yn y daith yna o dâl,
> Dowt yma o daw Tomas
> Adre'n siŵr o'r gloywddwr glas;
> *Before I will, pill or part,*
> *Buy a ship, I'll be a shephart.*

Dadfeilio'n raddol a wnaeth y gyfundrefn farddol yng nghyfnod y
Stiwartiaid, ond yn y porthmon Edward Morris (1607–89) o'r Perthi
Llwydion, Cerrigydrudion, gwelwn fardd a allai ganu ar batrymau'r
cywyddwyr gynt. Dengys ei gywydd i'r paun ei fod yn ddyfalwr galluog
a lluniodd farwnadau caboledig – un, er enghraifft, i Gabriel Goodman
(1521–1601), brodor o Ruthun. Gwelir yn ei ganu carolaidd allu i ganu'n
ysgafn ac yn ddwys, yn enwedig wrth drafod serch. Bydd trigolion y fro
yn cofio gyda chwithdod am ei bennill:

> Mi af oddi yma i'r Hafod Lom,
>   Er ei bod hi'n drom o siwrne;
> Mi gaf yno ganu cainc
>   Ar ymyl mainc y simdde;
> Ac ond odid dyna'r fan
>   Y bydda i dan y bore.

Chwithdod – gan fod Hafod Lom, a enwir mewn dogfen mor gynnar â
1334, bellach dan donnau Cronfa Ddŵr Brenig ers tua 1974.

Ar hyd y canrifoedd bu crefydd yn destun cân i'r beirdd. Yn yr Oesoedd Canol yr oedd llawer o'r canu hwn yn cyfarch y saint a moli eu creiriau, megis y llinellau agoriadol hyn o gywydd bardd anhysbys i Ddyfnog Sant (nawddsant plwyf Llanrhaeadr yng Nghinmeirch):

> Dyfnog ŵr dwfn a garaf
> Am a dal f'oes mi ai dy-laf,
> Dof i'th eglwys ddwys yn Ddôl
> Llanrhaiadr mewn lle rheiol,
> Dy ddelw di addolwn,
> Dy liw yn wir dy lun a wnn.

Yr oedd pynciau creiddiol y ffydd Gristnogol hefyd yn cael sylw yn eu canu. Wele fynegiant o ryfeddod yr Ymgnawdoliad yn y gerdd 'Geni Crist' gan fynach o gyffiniau Llanfihangel Glyn Myfyr, Madog ap Gwallter (*fl. c.* 1250):

> Cawr mawr bychan,
> Cryf, cadarn, gwan, gwynion ruddiau;
> Cyfoethog, tlawd,
> A'n Tad a'n Brawd, awdur brodiau.

Ers y Diwygiad Protestannaidd, yr emyn yw'r ffurf fwyaf cyfarwydd ar ganu crefyddol. Cysylltir nifer o emynwyr amlwg gyda'r broydd hyn. Dyma rai ohonynt – Edward Jones, Maes-y-plwm (Prion), Hugh Jones, Maesyglasau (Henllan), Cernyw Williams (Llangernyw), Ehedydd Iâl (Llandegla), Thomas Baddy (Dinbych), Thomas Jones (Caerwys a Dinbych), Gwilym Hiraethog (Llansannan a Dinbych).

Dywedir yn aml mai prifddinas ddiwylliannol Cymru yn y ddeunawfed ganrif oedd Llundain. Roedd gan gyfran helaeth o'r llenorion Llundeinig hyn gysylltiad â Sir Ddinbych. Yn eu plith roedd beirdd fel Jac Glan-y-gors, David Samwell a Robert Davies (Bardd Nantglyn), y naill o Gerrigydrudion a'r ddau arall o Nantglyn. Mae cerddi Glan y Gors yn medru bod yn ddoniol, yn fasweddus ac yn ddychanol. Creodd gymeriadau fel Dic Siôn Dafydd, enw a ddaeth yn derm cyfarwydd yn yr iaith. Yr oedd ei ganu'n aml yn radicalaidd ac yn feirniadaeth ar y 'Sefydliad'. Cyfoeswr iddo oedd Twm o'r Nant. Creodd yntau yn ei anterliwtiau gymeriadau fel Syr Tom Tell Truth, sydd wedi parhau'n fyw ar gof gwlad. Beirniadol o'i oes oedd Twm, fel Glan-y-gors; er hynny, yn wahanol iddo ef, ar y cyfan, mae'n derbyn 'y drefn' ond yn moesoli parthed ymddygiad unigolion – gan gynnwys ef ei hun!

> Dilynais, a diawl ynwyf,
> Bob cnawdol annuwiol nwyf;
>
> Fy nhalent, erbyn holi,
> Gwaedd yw sôn, a guddiais i
> Tan fy llygredd ffiedd ffôl
> Yn fy naear annuwiol.

Sut bynnag yr oedd Twm yn teimlo wrth edrych yn ôl dros ei yrfa, gellir dweud yn sicr na chladdodd ei dalent yn llwyr. Y mae gyfuwch â'r goreuon o faledwyr ei oes.

Anterliwtiwr a baledwr amlwg arall o'r fro hon oedd Huw Jones (*m*. 1782), Llangwm. Cyfansoddodd dros gant o gerddi a llwyddodd i'w cyhoeddi a'u dosbarthu, gyda gweithiau beirdd eraill, mewn llu o bamffledi. Ni cheir barddoniaeth aruchel yn y baledi hyn. Canai'r baledwyr am serch, moesoldeb, troeon trwstan a digwyddiadau dramatig – sef pynciau poblogaidd. Eu cyfraniad pwysicaf oedd porthi'r galw am ddeunydd darllen difyr gan werin Gymraeg ddarllengar ond lled ddi-ddysg. Gallwn gyfrif Jonathan Hughes (1721–1805) o gyffiniau Llangollen yn y fintai hon hefyd. Ysgrifennodd un anterliwt y gwyddys amdani a chyhoeddodd gasgliad o'i gerddi, *Bardd a Byrddau*. Yr oedd ef a Twm o'r Nant a Gwallter Mechain wedi gosod beirniaid Eisteddfod Corwen, Mai 1789, yn y fath benbleth wrth geisio dyfarnu pwy ohonynt oedd orau fel y bu'n rhaid anfon eu gwaith am benderfyniad at y

Gwyneddigion yn Llundain – a dyna ddechrau cysylltiad ffrwythlon iawn y gymdeithas honno â datblygiad yr eisteddfod.

Bardd, a brodor o Ddinbych, a gafodd ddylanwad mawr ar chwaeth a safonau cynnyrch eisteddfodau'r bedwaredd ganrif ar bymtheg oedd Caledfryn (William Williams, 1801–69). Un o'i gerddi mwyaf adnabyddus yw'r gerdd i 'Pryf y Bedd'. Dyma bedair llinell:

> Y tywysog a'r cardotyn
> Sydd i mi yn ddau'r un fath;
> Rhyddhau'r caethwas o'i gadwyni
> Wnaf pan ddêl i'w dŷ dwy lath.

Fel beirniad eisteddfodol rhoddai bwys mawr ar safon iaith. Yr oedd ganddo farn bendant hefyd ar y math o bynciau oedd yn briodol i'r beirdd ganu arnynt. Yn ôl Caledfryn: 'Nid yw pethau i'w golygu yn meddu cymeriad barddonol ond pan edrychir arnynt yn wrthrychol, ac yn y pellter.' Nid oedd yn unigryw yn y farn hon, gyda'r canlyniad fod cymaint o gynnyrch beirdd ac eisteddfodau'r ganrif yn draethiadau lled haniaethol, ffugathronyddol, chwyddedig a diflas. Ar y cyfan, yr oedd gafael y beirdd ar y gynghanedd a'r mesurau yn ddigon sicr, ond bod eu canu yn ddiffygiol o awen.

Yn eu hawdlau, ac yn arbennig yn eu pryddestau, yr oedd y beirdd hyn yn amcanu at gyfansoddi arwrgerdd Gristnogol. Ymgais o'r fath oedd pryddest aflwyddiannus John Robert Pryse (Golyddan, 1840–62) yn Eisteddfod Dinbych yn 1860 ar y testun 'Iesu'. Yn ôl y feirniadaeth yr oedd y bryddest 'yn llawn o grëadigaethau y crebwyll mwyaf beiddgar, gwyllt, a gorphwyllog, a'r darfelydd mwyaf rhamantus a dyeithr; y mae darnau o'r gân yn deilwng o'u cymmharu â chyfansoddiadau Milton a Dante'. Yn ôl Syr Thomas Parry, 'Dyma efallai yr ymgais fwyaf llwyddiannus i ysgrifennu yn null yr epig.' Meddai Dr Enid Pierce Roberts, 'Er na lwyddodd neb (i gyfansoddi arwrgerdd fawr), efallai mai ei ymdrechion ef yw'r teilyngaf.' Bu farw Golyddan yn Ninbych yn 22 mlwydd oed, ac yno mae ei fedd.

Bu rhai o feirdd amlwg blynyddoedd cynnar yr ugeinfed ganrif â chysylltiad dros dro gyda'r ardal hon, megis T. Gwynn Jones a J. Glyn Davies. Daeth y Prifeirdd Mathonwy Hughes a Gwilym R. Jones i fyw yn y fro ac ymserchu ynddi. Cododd y Rhiw, Bylchau, y Prifardd Dafydd Owen, enillydd y Goron yn 1943 a'r Gadair yn 1972. Enillodd Mathonwy'r Gadair yn 1956. Cyflawnodd Gwilym R. y gamp o ennill Cadair, Coron a Medal Ryddiaith. Meddai'r Athro Bobi Jones am ei ganu: 'Nid hawdd adnabod llais Gwilym R. Jones yn ei gerddi. Eto, y mae ei waith ef yn cynrychioli gorau cyffredinol ein gwaith cyfoes: mae rhywbeth clasurol nid yn unig yng nghywair caboledig ac ymddaliad urddasol ei ieithwedd a'i rythmau, eithr hefyd yn niddordeb effro ei gonsyrn cyfoes.' (*Llenyddiaeth Gymraeg 1936–1972*)

Wrth edrych i fyny at y bryngaerau a godwyd ar Foelydd Clwyd gan adeiladwyr ac iaith Geltaidd ar eu min, daw pennill o'r gerdd 'Mi af i'r coed i wylo' gan Gwilym R. i'r cof:

O wyll hen ogofâu yn oesau'r main a'r pres
Dôi seiniau hengerdd yn fflam-olau dres.
Soniarus ei hen eiriau, pereiddiaf osai'n hiaith,
'Run seiniau glybu llengoedd Rhufain ar eu taith.
O sgrin rhyw bentan heno, pan fo'r lamp ynghyn,
Daw'r un perseinedd, siant sancteiddrwydd gwyn.

Cenir yr un siant beraidd eto yn y flodeugerdd hon.

E. Gwynn Matthews

Rhys
Dafis

Cafodd Rhys Dafis ei fagu ym mhentref Llansannan, yng nghesail Mynydd Hiraethog. Derbyniodd ei addysg uwchradd yn Ysgol Emrys ap Iwan, Abergele, ac yna aeth i Lerpwl i gymhwyso fel syrfëwr eiddo. Ar ôl graddio, dychwelodd i weithio fel syrfëwr yn y Rhyl, ac yn y cyfnod hwn, cyfrannodd at sefydlu Cymdeithas Tai Clwyd. Symudodd y teulu i gyffiniau Caerdydd ar ddiwedd yr 1980au, pan aeth Rhys i weithio i Tai Cymru, ac yna i Fwrdd yr Iaith yn y 1990au. Symudodd Rhys yn ôl i Lansannan at ei wreiddiau yn 2010, ac mae bellach yn gweithio i Gymdeithas Tai Clwyd – cyfannwyd y cylch!

Mae traddodiad barddol a thraddodiad cerdd dant a chorawl yr ardal ddiwylliedig lle y cafodd ei fagu wedi dylanwadu llawer ar ei ddiddordebau. Roedd nifer o feirdd gwlad yn yr ardal pan oedd yn fachgen, ac eginodd hynny ddiddordeb cychwynnol mewn barddoni. Meistrolodd Rhys y cynganeddion tra oedd yn y coleg yn Lerpwl, ar ôl cael ei swyno gan gampau'r diweddar Dic Jones, Gerallt Lloyd Owen, ac Alan Llwyd. Cymerodd ran yng nghynghrair ymryson beirdd Bro Hiraethog, cyn cystadlu ar raglen *Talwrn y Beirdd* ar hyd y blynyddoedd, ac mewn ymrysonau yn yr Eisteddfod Genedlaethol, Y canu cynganeddol yw ei hoff gyfrwng.

Mae canu cerddorol yn agos at ei galon hefyd. Bu'n aelod o sawl côr wrth symud o le i le, a chael pleser mawr yn cyfuno swyn geiriau a cherddoriaeth wrth ganu cerdd dant. Ei ddiddordeb mawr arall yw mynydda, a throedio'r unigeddau uchel a roes fod i lawer o'i gerddi – 'Mae'r awen ar ben y byd!'

Glas y dorlan

Un nawn o haf wrth Gafn Hyrdd
oedwn yn y gwawl hudwyrdd,
a'r dŵr dan fy mhry di-hid
yn ddiog ddiaddewid.

Drwy'r hen goeden gysgedig
nerf o wynt chwaraeai fig,
a thawel lwyth o ewyn
eildro'n llywio o gylch y llyn.

Ond yna, holltwyd ennyd
ar y banc, gan ddeffro'r byd;
treiddiodd dart trwy hedd y dŵr;
saethodd, hyrddiodd i'r merddwr
blymiwr â'i blu o emau,
dewin glas ar adain glau,
a'i ehediad mor sydyn
nes i'r lliw enfysu'r llyn;
disgyn ar sydyn grwsâd,
yna'n ôl yr un eiliad,
a'i ysgytwol bysgota'n
rhuthr o liw, yn wyrth o'r lan.

Eiliadau hudol wedyn
a'r dydd mor llonydd â'r llyn,
nid oedd yn y distawddwr
un dim yn cynhyrfu'r dŵr;
dim ond tawel ddychwelyd
rhimyn o ewyn o hyd.

Er mai profiad eiliad oedd,
ni symudais am hydoedd.

Llawenydd

Dwyn i gof fy Eden gynt, – a chlywed
uwchlaw twrw'r pelmynt
bryfed anwel a'u helynt,
sŵn gwair yn suo'n y gwynt.

Awdurdod

Nid oedd fferins na phinsiad Mam i'w chnaf
na'i gwaethaf fygythiad
yn drech nag un edrychiad
dwfn a hir o du fy nhad.

Y tywydd

Yn Ionawr, does wynt i'n poeni – na glaw,
bydd pawb ar fin pobi;
ond 'n yr ha, 'dan ni'n rhewi;
gŵyl y banc a gwlyb yw hi!

Tranc cenedl

Colli tir, colli tarian; – colli llais,
colli hawl i'w hunan;
colli'r iaith yw colli rhan;
colli'r cof, colli'r cyfan.

Hen ysgol Llansannan
(ar ôl tân haf 1980)

Mae trwch o dristwch am drawstiau noeth hon,
   a'i tho fel asennau
     du o bren hen fframgoed brau
     rhyw long ar wely'i hangau.

Hon oedd hen long ein haddysg,
a than ei dec lwyth ein dysg;
   talent aeddfed, casgedi
   o ddawn fu ei nwyddau hi;
   dôi â holl drysorau'r daith
   i lan heb ddymchwel unwaith.

Ar y gwynt bu mwstwr gwaith
criw ifanc â'i wir afiaith;
   llu yn casglu'n howld eu co'
   eu cynhaliaeth, cyn hwylio
   o'r lan am orwel a'i hud,
   o'r bae am gefnfor bywyd.

Ond aeth camp coedwaith a gêr
yn simsan dan bwys amser;
   yn ddwys un hwyrddydd o haf
   hwyliodd ar ei thaith olaf,
   a breuhau o olwg bro
   yn hafan yr anghofio.

Heddiw arch yw ei bwrdd hi; aeth afiaith
   ifanc fel ton heli;
     aeth rhan o'r Llan is y lli
     o osteg a ddaeth drosti.

Penderfyniad

Pen annwyl yn fy nwylo
am i mi'i faldodi o;
trem â'i llond o ffyddlondeb,
y gynffon lon a'r ffroen wleb;
ei byd ydyw'r man lle bof,
dyna'i hymddiried ynof.

Hithau'n awr yn gwthio'n nes,
yn mynnu mwy o anwes,
gan syllu'n hir a miri'i
chŵn bach yn ei hwyneb hi;
minnau am fynd mewn munud
i'w gwâl, a'u difa i gyd.

Llyn y Gist
(llyn tro ar afon Aled)

Yn llun y bonyn, bu yno yr un
falerina'n dawnsio
waltz ddiderfyn er cyn co'.

Er llifo'n chwil ar ei llwyfan, ni ddaw'n
ddiddiwedd o'i hunfan;
mae o hyd yn yr un man.

Mae'n rhuthro dyfod o hyd; rhyw yrru
aros a wna hefyd;
pasio ymaith heb symud.

Ceunant Coed y Fron

I Goed y Fron mi honnwn
y daw'r byd i daro'i bwn;
cymryd hoe rhwng camau'r daith,
a chael dedwyddwch eilwaith;
a fan hyn i ysgafnhau
fy enaid yr af innau.

Yn ei hedd, mewn dim, rwy'n un
â'r bwncath ar chwa'r boncyn,
â'r ffrwd ifanc sy'n prancio'i
naid a'i ras o dro i dro;
yn ei hedd rwy'n un â'r haf
uwchlaw, o'm cylch, a chlywaf
wenoliaid fry a'u helynt,
a grŵn y gwair yn y gwynt.

Yma, ynghudd, y mae 'nghân,
fan hyn yr wyf fi'n hunan;
fan hyn mae'r hafan ynof –
mae swyn y cwm sy'n y cof.

Darlun

Wedi i law Duw ei liwio – a'i orffen
        yn berffaith i'w fframio,
    daliwyd eiliad a'i hoelio'n
    olew cain ar wal y co'.

Pardwn

Torri gwrych yr ardd y llynedd
    fûm i'n gymen,
torri'n ôl ei dwf blagurus,
bwrw gyda'r cryman awchus
    nyth mwyalchen.

Dod yn ôl i nythu 'leni
    mae'r mwyalchod,
llawn yw'r wawr fel cynt o ganu,
ond ni all y nodau leddfu
    fy nghydwybod.

Galwad
(a minnau'n byw yn ne Cymru)

Fe'i gwelwn ar y gorwel
o'r ffarm, le bynnag awn,
hen gefnen lom Hiraethog
a'i chorsydd hesg a mawn,
yn cymell, cymell llanc o hyd
i droedio'n rhydd ei moelydd mud.

Er imi ddewis gorwel
heb rug na mignen mwy,
a'r môr yn llenwi'r ffroenau
ymhell o'u cymell hwy,
fe glyw y galon hon o hyd
yr alwad brudd o'r moelydd mud.

Galwad arall

Er i mi, holl lwybrau 'mywyd – ddyheu
     am ddianc i wynfyd:
     i'r un lle, bro fy mebyd
     'r af yn ôl, yn ôl o hyd.

Cwsg

Pan fyddaf yma fy hun,
mae fy nhad am funudyn
eto'n dŵad i'w gader
fel bu i gysgu, a gwêr
ei gatied hoff yn rhedeg
am sbel i gornel ei geg,
wrth ryddhau blinderau'r dydd
yn ddiatal, ddiwetydd.

Mae 'nhad, a'i getyn, mi wn i
yn awr wedi hen oeri;
ond o'i waith, rhywfodd, daw o
at y tân eto heno.

Einioes

Os llosga'r gannwyll gan bwyll bach – nid oes
     un dim sydd yn sicrach;
     darfod wna'n hwyr neu'n hwyrach,
     cynnau hon yw canu'n iach.

Desmond Healy

Un o Gwm Gwendraeth Fawr yn ne Sir Gaerfyrddin yw Desmond Healy. Yn ystod ei ieuenctid yn yr 1930au a'r 1940au cafodd gynhysgaeth dda o ddiwylliant ei bobl yng nghwm y glo carreg lle roedd y Gymraeg yn drwch ar dafod y gymdeithas.

Aeth yn fyfyriwr i Goleg y Brifysgol yn Aberystwyth yn 1949 ac o dan Syr T. H. Parry-Williams a Gwenallt enillodd radd anrhydedd yn y Gymraeg. Tra oedd yn y coleg bu'n olygydd adran Gymraeg cylchgrawn *Y Ddraig*, ac yn 1953 enillodd gadair Eisteddfod Genedlaethol yr Urdd ym Maesteg.

Cafodd ei swydd gyntaf yn 1953 yn Ysgol Ramadeg Arberth, Sir Benfro. Oddi yno, symudodd i Ysgol y Preseli pan agorodd hithau ei drysau am y tro cyntaf yn 1957. Yna, yn 1963, cafodd ei benodi'n brifathro ar Ysgol Glan Clwyd ac yno y bu hyd ei ymddeoliad yn 1985.

Dros y blynyddoedd bu'n aelod o dimau Ymryson a Thalwrn y Beirdd a lluniodd gerddi caeth a rhydd i gwrdd â gwahanol ofynion; cyhoeddodd hefyd ambell gyfrol, yn cynnwys *Crwydro De America*, *Trwy Ddŵr a Thân* (nofel) a llyfr o farddoniaeth i blant, *Geiriau*. Am flynyddoedd bu'n gyfrifol am adran yr ysgolion yn y cylchgrawn *Barn*.

Mae ganddo amryw byd o ddiddordebau, yn cynnwys garddio, cerdded a chrwydro, ffotograffiaeth, gwneud ffyn a llosgi lluniau ar bren.

Cywydd Cyfarch

(i bapur bro *Y Glannau* ac yntau'n dathlu ei
ben-blwydd yn 25 oed yn 2007)

O'r afiaith ddaeth o rifo
Fin hwyr ei rifynnau o!
Dau gant a hanner da'u gwedd
Yn deillio o ddidwylledd,
Y neges a'r gefnogaeth,
Dwy ffrwd, un datganiad ffraeth.
Chwarter canrif y llifodd
I ni bawb gan ryngu'n bodd.

Mae mwyniant mewn cymuned,
Yn ei chreu ac yn ei chred;
Yng nghyffro'i phlant a'u hantur,
Hedd a gwaith gwragedd a gwŷr,
Ac yn hamdden ei henoed
(A'n beiau, bawb, o bob oed!)
Fe'i ceir o hyd er sicrhau
Hyder ein cymunedau.

Mae dwy iaith i'n cymdeithas
Eithr un sy'n hŷn ei thras;
Hen iaith ein blaenoriaethau,
Hen iaith a fynnodd barhau.
O'i chael i'n cynrychioli
Hon *yw* ein newyddion ni.

Ei hwyneb yw'n gohebwyr
A wêl gamp a gwelw gur.
Hi yw gwaedd golygyddion
'A oes bwnc ... un newydd sbon?'
Hi yw llog pob swyddog sy
Ag archwaeth i ymgyrchu.
Hi yw rhaff ffotograffwyr
I ddal dau a'u serch fel dur.
Mae'n eiriol er mwyn arall,
'Dyro'r dail i glustiau'r dall'.

Yn yr ardd hi fyn harddwch
I'w chân, i'w chaban a'i chwch.
Yn siriol ei chroeseiriau
Rhanna'n ddwys ei 'Gair neu Ddau'.

Mae'n denu'r llengar barus
Ag aur llên gorau'i llys
Gan roi'i gwin i'r werin wâr
A llwyfan i'w gair llafar.
Ei lluniaeth i'w darllenwyr
Sy'n ddanteithion poethion pur.

Her a braint yw papur bro
O'i noddi a'i ddefnyddio.

Glynwn wrth werth ein *Glannau*,
Hir oes! Boed iddo barhau.

I Gwenno
(un o'm hwyresau, ar ei phen-blwydd
yn ddeunaw oed)

Dy ddoniau gwâr ddaw i ddwyn i go' – Nan,
Dy nain, nad â'n ango';
Mae atsain ei llais *mezzo*
Yn dy frid fel yn dy fro.

I'th haf dei dithau hefyd, – a hydref
Y brwydrau. Ond gwynfyd
A feddo ar gelfyddyd
Yw herio baw llawr y byd.

Boed i'th ddawn, boed i'th ddaioni – estyn
Wastad at oleuni;
Boed ffein dy holl gwmpeini;
Bydd ddi-dwyll lle byddi di.

A Gwenno – cofia gynnal – dewiniaeth
Dy hunan dihafal;
Drych wyt i belydrau chwâl
O'r Gras wnaeth lunio'r grisial.

Gwenci

Rhynnais wrth wylio'r fronwen – ar eira'n
Rhoi eirin ei phawen;
A chlywed ing cwningen
Yn dwr byw a'i byd ar ben.

Eirlys, Ionawr 2008

Am un annwyl yr wylaf, – am ei gwên,
  Am ei gair cynhesaf;
  Yn yr heth yr hiraethaf
  Am ei haul ac am ei haf.

Teyrnged i Tecwyn Jones, Diserth, yn ei gynhebrwng, Mawrth 2000

I'w Dduw bu'n halen y ddaear, – a'i wên
  Fel ei gân yn llafar;
  O'i gilio fe ddaeth galar
  A hel cof i'r sawl a'i câr.

Cofio'i chwerthin gwerinol, – ei londer
  A'i bryder ysbrydol;
  A'i weddi i'r Tragwyddol
  Ddwyn ei werth i ddyn yn ôl.

Ni roed i'r llan un gwanwyn, – un mwynach
  Mwy annwyl ei ddeigryn;
  Yn was taer i Grist ei hun,
  Tecach ni fu na Tecwyn.

I'r Parch Huw Jones ar ei ben-blwydd yn 90 oed, Chwefror 2010

Yn was fferm yn oes y ffair
Ni chollaist ddim – na chellwair
Na da iaith hen gymdeithas
Y tyddyn a'r brethyn bras,
Nac ychwaith ddwyster gwerin
Yn galw'i Iôr ar ddau ben-glin.

O Felin Wen dy eni
Ym Môn ac o'i ffermio hi
Enciliaist i fyd coleg
Ac at hwyl hen hogiau teg.
Yno dy rawd ddegawd dda
Yn tawel cydletya
A myfyrio am fawredd
Dy Dduw mewn dyddiau o hedd.

Ac mewn newydd gwmnïaeth
Hen ffrind fu dy Tomi ffraeth.
I liaws Noson Lawen
– Hwn oedd llais newydd eu llên!

Wrth reddf arweiniaist steddfod
Heb y cledd ... nid heb y clod,
Gan i win dy ffraethineb
Ein llawenhau'n well na neb.

Yna oes hir wrth y swch
Hyd dir ein difaterwch.
Uwch yr og dan lach yr hin
Gwyraist i alwad gwerin,
A rhoi nawdd a chadarnhau
Yn weinidog eneidiau.

Ac eginodd gogoniant
Ar dy dir âr, seintwar sant,
I'r Duw a roes oriau'r dydd
I'w weision ac i'w feysydd.
Yn un hael dy ddynoliaeth
Buost hy dros Gymru gaeth.
A Môn deg ym min ei dur
Un bleidiol fu dy bladur
Â'i hias yn drech na deiseb
I'n herio ni yn Nhir Neb;
Nes o'r gwyll daeth Cynulliad
I loywi'r gwlith ar lawr gwlad.

A'r haul ar dy gyfrolau,
Hawdd yw hel rhyw air neu ddau
O eglurhad a gloywi'r iaith
Yn nhymor dy 'Gydymaith'.

Hogyn y wedd, a gawn ni,
Hel heddiw dy ben-blwyddi?
Onid wyt gant namyn deg?
(Mi wyt, 'nôl mathemateg.)
Yli'r Parch ... Llongyfarchion
A mwy o Fynwy i Fôn.
Llond gwlad o ddymuniadau
Huw Bach, wrth bawb o'th hoff bau.
Di-haint fo gweddill d'antur
Heb na chŵyn, 'run boen na chur.

Ond ati'r cawr, cyn y daw iti'r cant,
Dwyn i ni gyfoeth dy hunangofiant!

Er cof am Norman Williams
(cyn-ddirprwy brifathro Ysgol Glan Clwyd.
Bu farw ym Medi 2009)

Tros bob gorwel, bob heli – ti hwyliaist
    At haul pob goleuni;
Nes dod i draeth d'hiraeth di
Ac i fyd d'atgyfodi.

Arwel Emlyn Jones

Yn fab i weinidog, y mae wedi byw mewn amryw o lefydd, gan ddechrau'r daith yn Llangernyw, yna Llan Ffestiniog, Aber-soch, Glanconwy a'r Wyddgrug. Mae ei deulu yn hanu o Ddyffryn Clwyd ar y ddwy ochr, ac y mae yntau, bellach, yn byw yn Rhuthun. Bu'n dysgu yn Ysgol Maes Garmon, yr Wyddgrug, ac erbyn hyn mae'n bennaeth Mathemateg yn Ysgol y Berwyn, y Bala.

Ymddiddorodd yn y gynghanedd a chael gwersi difyr gan Moi Parri ac wedyn John Glyn Jones, ac y mae ei ddiolch iddynt yn fawr. Dywed iddo ddysgu am y gynghanedd hefyd drwy gystadlu mewn eisteddfodau lleol, cystadlaethau Barddas, y Stomp ac yn y blaen, gan dderbyn ystod eang o feirniadaethau!

Y mae, yn ogystal, yn aelod o dîm Talwrn y Beirdd Ysgol y Berwyn, ac mae trafod y tasgau gydag eraill fel Huw Dylan a Gruffudd Antur wedi bod o fudd mawr iddo, meddai, wrth ddal ati i geisio ysgrifennu.

Cywydd Croeso Eisteddfod
Sir Ddinbych a'r Cyffiniau

I anterliwt yr Ŵyl hon
Awn yno ar ein hunion
A llifo tua'r llwyfan
I dir Gŵyl, i godi'r gân;
Mawrion iaith fel Twm o'r Nant:
O'i linach daw dilyniant.

Darn o nef, rhyw Dir na n-Og
I'r iaith yw Bro Hiraethog:
Lle hafod bell ei hafiaith,
Lle hafau'n hil, llwyfan iaith;
Lle alaw'r noson lawen:
Llond tai o ddiwylliant hen.

Drwy'r gân a thrin cynghanedd,
Esblygiad gwlad yw ein gwledd;
Aeth Steddfod o fod yn fach
Yn Brifwyl ddisglair brafiach;
Daw'r Steddfod o'r hafod hen:
Sŵn newydd sy'n ei hawen.

Yn ymyl tir Moel Fama
Ar lawr hud ceir arlwy'r ha';
Bydd i ddyffryn ganu'n gaeth,
Daw drama i dir amaeth,
I harddu dôl ceir cerdd dant,
I'r gân bydd gwir ogoniant.

Ceir gwledd o weithgareddau,
Gwelaf haf ar dir mwynhau:
Bro i'r ifanc arbrofi
I naws y bît ym Maes B,
A holl iaith y Babell Lên
Yn rhoi lle i'r holl awen.

Steddfod yn dyfod ar daith,
Yn hon mae hafau'n heniaith;
Cerdd a chân yn cwrdd â chwi
Hyd lannau Clwyd eleni;
Deuwch oll, o dewch i Ŵyl
Yr heniaith, Gymry annwyl.

R.S. Thomas
(ABC Neb)

Diddiwedd ydyw heddiw
Yn yr haul dros fynydd Rhiw,
Awyr las sy'n herio'r lan,
Neb yno'n gwylio gwylan
Yn troi, a Neb ar y traeth
Yn dal ei hysbrydoliaeth,
A Neb ar grib y dibyn
Wyneb yn wyneb â'i hun.

Simba

Ar sgwâr Dimbech mae yna fainc
Lle bu gŵr yn naddu cainc,
Yr oedd yno'n cerfio coed
Fel bu rhai yn gwneud erioed,
Yn pwyllo byw, gweithio ffon,
Gydag amser i'r hen grefft hon;
Llunio ffon lle bu ynghynt
Bren yn chwifio yn y gwynt,
Creu rhyw beth o rywbeth plaen,
Peidio byw yn groes i'r graen,
Creu rhyw batrwm Celtaidd hen,
Byw yn araf, codi gwên.
Yr oedd ei enw'n enw gwneud
A Simba fyddai pawb yn ddweud,
Simba, Rainmaker, crëwr glaw,
A chrëwr ffyn gyda'i ddwy law;
Ffyn i eraill droedio'n well,
Ffyn i rai gael crwydro'n bell,
Ffyn i daro sŵn ar lawr,
Ffyn i rai â chloffni mawr.
Ffon i gofio gŵr a'i waith,
Ffon i'w chadw ar ddiwedd taith.
Does neb yn eistedd ar y sgwâr,
Pawb yn awr heb amser sbâr
Lle bu sgwrs â gŵr y ffyn
A fyddai wastad y fan hyn,
A daeth y blodau ar ei sedd
A chyfarchion yn llawn o hedd;
Bu rhyw golled yn y dref
Lle bu gwaith ei naddu ef;
Teimlais innau'r golled hon
Am i minnau brynu ffon.

Barrug y bore, Eyarth

Drwy y coed daw haul y bore,
Syth yw'r mwg a ddaw o'r simdde;

Criw o frain yn crawcian fry,
Barrug disglair ar balmant du,

Barrug oer yng nghysgod gwrych
A phwll o rew i'w weld fel drych.

Mwclis coch ar goeden celyn,
Sŵn y deffro sy'n y dyffryn.

Mae sŵn dyn yng nghloch y Llan
Ond sŵn Duw sydd ym mhob man.

Cerflun newydd Owain Glyndŵr, Corwen

Un ac oll drwy Langollen – ni allant
    Hwy bellach yn llawen
Osgoi gormes hanes hen,
Osgoi'r cawr ar sgwâr Corwen.

Gormodedd
(fflag San Siôr)

Dyfod fel ymosodiad – yn eu ceir,
    Canu corn mewnlifiad,
Ein ffin heb amddiffyniad,
Chwifio'u fflag uwch fy hoff wlad.

Cwm Celyn

Ni fu neb yn y fan hyn
Erioed yn troedio'r rhedyn
Nad oedd yn adnabod iaith
Y mynydd yma unwaith.

Adnabod hen ddefodau
Bro a hil, ac am barhau
I drin cynefin yn ôl
Eu hanes a'u gorffennol.

Adnabod gwynt yn codi
A llais hen afon yn lli,
Adnabod pob gwybod gynt,
Hynny yn rhan ohonynt.

Adnabod haf ac afiaith,
Morio'r gân Gymreig ei hiaith;
A bobol bach, brafiach bro,
I'n heniaith ydoedd honno.

Adnabod hafod pob haf
A gwewyr hendre'r gaeaf,
A phob bref drwy'r holl lefydd,
Pob cornel llwm o'r cwm cudd.

Pob dafad a diadell,
Pob lôn i'r copaon pell,
Pob dydd o'r newydd yn hen,
Yn hynach na'r gelynnen.

Er yn hen, ac ar un waith,
Bu adnabod anobaith,
Adnabod rhyw ddyfodiad
I ddwyn y glaw ddaw i'n gwlad.

Boddwyd eu hadnabyddiaeth,
Llen o ddŵr yw'r llyn a ddaeth,
A thawel yw Cwm Celyn
Hefo neb hyd y fan hyn.

Hamdden

Os ydwyt redwr sydyn – yn nofio
        Ag afiaith pysgodyn
    A cherdded mynydd wedyn,
    Onid wyt yn lladd dy hun?

Anne Robinson

Tybed, o'r holl atebion – y dadlau
        A'r cystadlu gwirion,
    A oes ymysg y Saeson
    Weakest Link cystal â hon?

Trysor y Môr-ladron

Ti yw awen y llenor – a T. Llew,
        Ti yw llyfr ar agor,
    Ti i mi yw llais y môr;
    Ti a roes imi'r trysor.

Harmoni

(sef y brain sy'n hedfan gerllaw
Bryniau Clwyd)

Hefo'r haul daw crawc y frân
Yn afiaith o gyhwfan,
Eiddo hon a'i ffrindiau ddaeth
Yw erwau o gerddoriaeth,
O droi i'r haul, codi draw
Yr heulwen ydyw'r alaw;
Codi'n uwch mewn cadwyn wnânt
Yn y mŵd mae'r symudiant,
Yn rhydd ar adenydd du,
Yn siŵr o'u cydamseru.
Yn llawn o ddawn bob yn ddau,
Y rhain fel awyrennau
Yn eu tro'n dangos eu trics
A'r bît yw'r aerobatics.

Ehedant yn rhwydd wedyn,
Hedfan heb hedfan yw hyn.
Cân yr heulwen yw'r ennyd,
Crawc y frân yw'r gân i gyd.

Yno hefyd mae'r cyfan
Ynof i yn dawel fan,
Dim ar ôl ond bodoli
A bod heb fod yr wyf i;
Heb ei fyw mae byw bywyd,
Heb ei fyw mae byw'n y byd.
A heddiw'n llawn rhyfeddod
Nid yw byw ond peidio bod;
Ond wedyn, un nad ydyw
Yn ei fyd yw'r un sy'n fyw.

Hud y dôn a nodau'r dydd
Yw eiddo'r Cyfansoddydd,
Haul ar fryn yw alaw'r fro:
Duw ei hun yw bod yno,
Ef yw'r gainc a gwefr y gân
Ac Ef yw'r byd yn gyfan.

Hafod Lom

Hen lewyrch yw'r alawon,
Aeth y wawr, aeth afiaith hon,
Yr Hafod wag sy'n gragen
A broc yw ei mainc o bren;

Erwau llwm yw gwely'r llyn
Eiddo'r merddwr yw'r murddun.

Agorodd argae hiraeth
Ger y llyn, a'r hyn a aeth
A ddaw ar alaw yn ôl
O gorff hon a'r gorffennol;

Er i'r haf fynd o'r Hafod,
Alaw ddoe sy'n dal i ddod.

Hana Gwyn yn ddeunaw oed

Dy alw yn oedolyn – dyna wyt,
    Deunaw oed, ond wedyn,
    Byw pob moment fel plentyn,
    Hyn yw y gamp, Hana Gwyn.

Pabell

Ym mannau llwm y mynydd – yn nyddiau
Anoddaf ein stormydd,
I'n gwarchod nid oes gorchudd
Ddim gwell na phabell ein ffydd.

Mainc ar Sgwâr Rhuthun

Yn aros pob cymeriad – mainc yw hon
Er mwyn cwrdd i siarad,
A bydd un yn cael boddhad
O eistedd yma, wastad.

Gŵyl Gerdd Dant

Hen rym trawiadau'n drymio – cerdded iach
Ein cerdd dant sydd yno,
Nid yr iaith yn mynd am dro
Ond iaith yn gorymdeithio.

Eifion Lloyd Jones

Ar ôl graddio yn y Gymraeg ym Mangor, treuliodd ugain mlynedd yn gweithio i gwmni HTV: deg fel gohebydd a chyflwynydd newyddion *Y Dydd* a'r *Wythnos*, a deg yn gynhyrchydd a chyfarwyddwr rhaglenni dogfen a thelediadau allanol o brif wyliau Cymru. Yna, trodd i'r byd addysg, a daeth yn bennaeth Adrannau Cyfathrebu a'r Cyfryngau y Coleg Normal a Phrifysgol Bangor.

Yn ogystal â bod yn arholwr allanol Prifysgol Cymru, bu'n safonwr cyrsiau'r brifysgol yn Valladolid yn Sbaen a Chairo yn yr Aifft. Erbyn hyn, mae'n gweithio'n rhan amser i'r Coleg Cymraeg Cenedlaethol fel ymgynghorydd datblygu staff, gan hyfforddi a chefnogi darlithwyr newydd cyfrwng Cymraeg holl golegau Cymru.

Y mae'n is-gadeirydd Cyngor yr Eisteddfod Genedlaethol ac yn is-gadeirydd Prifwyl 2013; bu'n aelod o Gyngor yr Eisteddfod ers dros chwarter canrif ac yn gadeirydd Pwyllgor Gwaith Prifwyl 2001. Dros y blynyddoedd, bu'n feirniad ffilm, fideo, llafar a siarad cyhoeddus yn yr Eisteddfod Genedlaethol, yr Urdd a'r Ffermwyr Ifanc, yn ogystal ag arweinydd llwyfan y Genedlaethol, yr Urdd a'r Ŵyl Cerdd Dant.

Lluniwyd y rhan fwyaf o'r cerddi sydd ganddo yn y gyfrol hon ar gyfer Tîm Dinbych yn Nhalwrn y Beirdd. Cyhoeddodd ddwy nofel, dwy gyfrol am fyd y teledu, a rhyw 30 o ganeuon a recordiwyd gan ei wraig, Leah. Mae ganddynt bedwar o blant: Angharad, Elysteg, Ynyr a Rhys; a thri o wyrion: Gwenno, Gruffydd a Llŷr.

Pelydrau cariad

Rhwng porfa felynwyrdd y wawr ar y llethrau
mae clytiau o borffor y grug hyd yr allt;
pelydrau y bore sy'n gwenu'n ei gruddiau
a blodau drain gwynion yn wyllt yn ei gwallt.

Rhwng tywod hufennog a'r brwyn ar y twyni
mae heli yr awel ar wefus yn hallt;
pelydrau'r prynhawn sy'n cynhesu ei thresi
a lili'r dyffrynnoedd yn em yn ei gwallt.

Rhwng melfed pob tusw o fwsog a'i anwes
mae hances o las clychau'r gog ar yr allt;
pelydrau y cyfnos sy'n fwyn ar ei mynwes
a ffwrnes yr eithin yn aur yn ei gwallt.

Hydre'n y dail

Mae'r hesg o dan gwrlid o wlith, doriad gwawr,
yn gwrando'r ehedydd yn deffro'r lli mawr;
a minnau'n breuddwydio amdanom ni gynt
yn gwahodd y gwanwyn i ddeilio ynghynt.

Mae'r deigryn ar rosyn fel perl yn y llwyn
yn gwrando'r gylfinir yn galw o'r brwyn;
a minnau'n gobeithio bod breuddwyd mor braf
yn para'n y dail i ddau gariad yr haf.

Mae'r machlud wrth waedu ei lif ewyn coch
yn gwrando'r gwylanod yn gwatwar yn groch;
a minnau'n synhwyro mai breuddwyd di-sail
yw ha' bach Mihangel a'r hydre'n y dail.

Gwacter

(ar ôl cyflafan Beslan yn ne Rwsia, lle lladdwyd
merch ifanc ar drothwy'i phriodas)

Bu'n troi a throsi'n gyffro byw drwy'r nos,
yn gweld ei llun wrth gau amrannau'n dynn:
ffrog newydd sbon am eneth ifanc, dlos,
a honno'n bictiwr yn ei phurdeb gwyn;
prin iddi gyffwrdd brecwast yn ei blys
am gychwyn tuag antur fwya'i byw:
rhyw ddawnsio, troelli'n llon a sgipio'i brys
i gyrraedd gŵyl â'i chroeso o fewn clyw.

Mae'i mam yn methu â chau ei llygaid syn
rhag gweld ei llun yn lludw'r neuadd fawr:
y ffrog yn garpiau llwyd a choch a gwyn
am swp o gnawd mewn sach mewn rhes ar lawr;
a'i thad yn golchi'i ddagrau yn y glaw
wrth gychwyn tua'r comin gyda'i raw.

Doethineb

Pan oeddwn fachgen ...
yn credu'r Beibl a'r radio
am gamp yr hen genedl
yn trechu'r anghrist
ym Mhalesteina
yn chwe deg saith,
llawenhawn
yng ngorchest gyfiawn
y wlad fach rydd
oedd yn mynnu byw.

Ond pan euthum yn ŵr ...
gwelais rym y Gorllewin
yn nhrais y gormes
a gwladychu haerllug
tiroedd y meddiant,
a gwlad yr addewid
yn dal yn gaeth
i'r Hen Destament,
ddant am ddant.

A châr dy gymydog ...
yn diferu gwaed
ar fur digofaint
y ddinas sanctaidd
sy'n dal i wylo
am ei phlant.

Leah

Fy nghariad, mae fy ngeiria' – i'w rhannu
    â'r eneth anwyla'
    a'i halawon, fy Leah,
    fy nghraig o ddur, fy ngwraig dda.

Leah hael ei halawon

Rhoi i'w chôr a'i chantorion – orau'i chrefft:
    rhoi ei chreu ym Mhrion;
    rhoi i lawer alawon,
    rhoi ei hoes yw rhoi i hon.

Dyffryn Clwyd

Er swyn ei ddôl a'i lwyni, – er hanes
    ei fryniau a'u moelni,
    er hardded rhai o'i erddi,
    hwn a hon yw 'nyffryn i.

Tŷ Gobaith

Y dwylo, nid yr adeilad – y wên,
    nid y ward ddideimlad;
    ni wnaeth un, na mam na thad
    ragori ar ei gariad.

Elw

('Pa lesâd i ddyn, os ennill efe yr holl fyd,
a cholli ei enaid ei hun?')

Buddsoddwn mewn bomiau, a phentyrru taflegrau
ym manc diogel y Gorllewin gwâr
i'w hanfon, gyda chyfarchion y Pasg,
yn wyau llawn dirgelwch,
oddi wrth Gristionogion
at Gristionogion ...

Rhwng bomiau NATO a bwledi Serbia,
golchwn ôl yr arian oddi ar ein dwylo,
tra bo gwaed Calfaria'n ceulo
mor rhad â gwaed Pristina;
a'r trydydd dydd
yn uffernol o bell.

Cwrteisi

Yn nyddiau'r person plwy' a'r sgweiar tir
oedd am y gorau'n lordio'i hyd y wlad,
bu plant y gorthrwm ar eu gliniau'n hir:
Sul, gŵyl a gwaith, mewn llan ac ar y stad ...
nes teimlo 'stwyrian rhyddid yn y gwynt
a'i si drwy'r gaethglud: codi, sythu cefn
i fynnu llais yn lle'r mudandod gynt,
a rhannu'r da yn lle cowtowio i'r drefn;
ond yn y wynfa newydd, daeth hen flys
am efelychu llyfu'r oes a fu,
gan faglu dros ei gilydd yn eu brys
i osod mat eu croeso o flaen llu
'fu'n prowlan wrth y drws ers oesau maith
i ddwyn eu tai a'u tir, a lladd eu hiaith.

Cofio Gwyn Erfyl

Rhwng gwawr Aberdeunant
a gwyll Gerddi Menai,
gwnaeth Gymru'n fwy.
O'r Llan a anfarwolodd
'rhwng Birmingham a'r Bermo',
aeth â gair ei dad
a chân ei fam
i ysgwyd sawl byd.
O gaer Y Dydd
i garidýms Soweto,
agor llygad y meddwl;
o bulpud y Traws
i balas y Fatican,
agor clust y galon.

Camu'n ysgafndroed,
ond sefyll yn gadarn;
canu'n floesg-dyner,
ond pregethu'n ysgytwol;
credu'n ofalus,
ond caru'n angerddol.

A bellach,
fel y proffwydodd,
'dim ond y llwch sydd yma';
tra pery'r llais
i gyffroi llygad a chlust
i ddeall a charu
mwy.

Gorffwys
Euronwy Lloyd Jones, Llandderfel a'r Bala
– fy nain wen.

(Yn athrawes biano fedrus, bu'n gofalu am ei
thad, ei hewythr ac am fy nhaid innau – gan ei
briodi ychydig flynyddoedd cyn ei farw. Cafodd
yr hen elyn afael arni hithau)

Dawnsiai'r dwylo main
fel dau bry copyn
ar ras igam-ogam
dros y clwydi du;
a degawdau o blant di-glem
yn rhyfeddu'n swil
at y we o gerddoriaeth
oedd yn cau amdanynt.

Gwibiai'r dwylo sgleiniog
fel gwenoliaid yn gweini
o'r bwtri i'r bwrdd
dan faich o faeth;
a thriwr oedrannus
yn llygadu'n slei
y llond lliain o ofal
oedd yn cau amdanynt.

Crynai'r dwylo ceimion
fel menig ysgerbwd
wrth estyn te claear
at weflau crin;
a llygaid llonydd
yn gweld o bell
y llen o ollyngdod
oedd yn cau amdani.

Lamp

(teyrnged i 'Nhaid, gwas fferm a aeth
i'r weinidogaeth, a chrefftwr fyddai'n creu
ac addurno lampau)

Rhyw bwt o fetel, cainc neu geubren gwyw
mewn ffos ar fin y ffordd yn magu baw
a naddwyd ganddo'n gawg o ynni byw
fel llewyrch haul yn diffodd cawod law;
estynnai frwsh a phaent o ddau hen dun
i liwio gorchudd yn batrymau mân
ddisgleiriai'n risial pan fo'r golau ynghyn
a'r gwydr wedi'i hir anwylo'n lân.

Mae sawl hen lamp o hyd ar hyd y lle
mewn ambell gornel dywyll yn hel llwch:
y gwydr gwelw â'i graciau'n dynn gan we,
y pren yn pydru neu y rhwd yn drwch.
Mor fuan yr anghofir dyn a'i gamp:
mor hawdd ag estyn bys i ddiffodd lamp.

Trên

(i gofio 'Nhad, fu farw'n 69 oed ym 1982)

Trên mawr oedd yn y Port ym mhum deg saith,
    ac yntau fry'n y signal bocs fel duw
yn tynnu lifars gloyw i agor taith
    am Ddyfi Jyncshyn, Afon-wen a Chriw. [1]
Ar lwybr gyrfa'n arolygwr, bu'n
    rheoli lein y Bermo, Mach., Builth Rôd ...
gan adael efo'r Mêl ben bore Llun
    â'i gês bach brown am wythnos ar y tro.

Dan fwyell Beeching, i'r ciw dôl – neu waith
    yn dâl am lafur oes ... i ffwrdd yn Stôc!
I'r seiding aeth o – at y rhydu maith
    gan weld hen stêm yn troelli wrth gael smôc;
ac er bod lein fach newydd ar y stryd, [2]
ni ddaw'r un trên yn ôl o ben draw'r byd.

1   Tair cyffordd bwysica'r trenau o Borthmadog
    bryd hynny, a Crewe y bwysica' ym Mhrydain.
2   Rheilffordd yr Ucheldir yn croesi'r bont am y
    Cob.

Gwynedd Jones

Cafodd Gwynedd Jones ei eni yn Llandrillo, Corwen, ei fam yn ferch siop Manchester House, a'i dad yn fab fferm Syrior; trodd yntau yn siopwr am gyfnod. Roedd ei nain ('nain siop') yn gyfnither i'r aelod seneddol Thomas Edward Ellis. Yn y 1930au cynnar fe symudodd y teulu i ffermio yn Nyffryn Clwyd.

Cafodd ei addysg uwchradd yn Ysgol Brynhyfryd, Rhuthun, a dychwelodd yno'n athro Mathemateg yn 1962 ar ôl graddio mewn Cymraeg a Hanes ym Mhrifysgol Bangor. Bu hefyd yn dysgu amrywiol bynciau ym Mhentrefoelas ac yn Ysgol Daniel Owen, yr Wyddgrug. Priododd Megan, 'merch y stesion', Rhewl, yn 1957 ac yn Rhewl y buont yn byw am hanner can mlynedd gan fagu tri mab ac un ferch. Erbyn hyn maent wedi ymgartrefu yn Rhuthun. Mae'n mynychu Capel Rhewl, lle bu'n flaenor am dros ddeugain mlynedd. Bu hefyd yn aelod o Barti Meibion Menlli gan deithio'n bell ac agos i ddiddori cynulleidfaoedd a chystadlu.

Dechreuodd briodi geiriau ac odlau yn y chwedegau a dysgu cynganeddu, gan gystadlu mewn eisteddfodau lleol gyda pheth llwyddiant. Daeth yn ail am gasgliad o hanner cant o limrigau yn Eisteddfod Genedlaethol Llanelli 2000 a chyhoeddodd lyfryn o'i waith yn dwyn y teitl *Limrig Ol Sorts a Chorddi Eraill*.

Haf 2000

O haul, diseren 'leni
Fu ansawdd dy nawdd i ni,
Gwelsom bron ddim ohonot,
Yn y wlad ni fuost lot!
Dy wres, prin yn gynnes ga'd –
I ffwrdd aeth pob cyffyrddiad,
Symol dy bresenoldeb –
Yn iawn ni'th welwyd gan neb!

Nid haf yr hyn a gafwyd
Yn braf, dywedwch pa bryd?
Gaeaf o haf a fu hwn
A'i gastiau yn ddigwestiwn.
Ei ore'n y bore bach
Yna'n araf âi'n oerach.
Am heulwen bu ymholi –
'Beth yw hanes dy des di?'
Cwmwl di-wadd a chaddug
Nadai'r gwres i flodau'r grug,
Fel Hydref dy Fehefin
A'i oeraidd ddihafaidd hin,
Gwisgo'n fynych gôt ucha
A het yng nghanol yr ha',
Ymorol gwres canolog,
Llwyth o dân pan gân y gog!
Anwadal haf ysmala,
Haf yn wir heb hufen iâ,
Gweld f'Elin mewn bicini
Och, haf sâl, ni chefais i!
Torrwyd ar hwyl torheulo –
Nid tan yw tan o dan do!

Cronic pob gêm o griced
A sŵn monsŵn ar do'r sied.
Newid lle, mynd am wlad Llŷn
Ond haul ni ddaeth i'n dilyn –
Aber-soch heb ymdrochi
Na phadlo'n llon yn y lli;
A'r plant yn ffraegar chwarae
Eu gêm ar ryw fwdlyd gae.

Heb wên yr haul eleni
Ymado, mudo i mi.

Iolo Morganwg

Un â rôl yr athrylith
A hyder brwd adar brith.
Saer y garreg, saer geiriau
A'r gwir ddifwynaist â'r gau.
Cenaist, gnaf, *à la* Dafydd –
Twyllo'n llon ddoethion dy ddydd.
Ymroist i frol a mawrhau
Dy fro a'i heuro'n orau.

Diferodd dy Fyvyrian
Ddafnau llwydd yn rhwydd i'th ran,
A daeth hedd dy Orsedd di
O rwydau dy ddireidi.
Daeth ein Gŵyl o wae gaeaf
Fel briallu hy yr haf,
A diaist i, d'enw'n destun
'Leni sydd i'r cywydd cun!
Rhoist, Iolo, hen gadno'r gân,
Rym Argoed i Fro Morgan.

Hywel Teifi

Ei nabod oedd wybodaeth, – fel afon
Fe lifai dysgeidiaeth
O'i enau'n rhith dewiniaeth,
Yn fêl a fu inni'n faeth.

Beddargraff twrne

Di-gês yw ef a diddefod, di-ffi,
Di-ffeil a didafod,
Cafodd wŷs i lys M'Lod
A les dragwyddol isod.

Y Gymraeg

Er ei henaint, er ei hynni – a'r stŵr
Wneir o'r stad sydd iddi;
Goddef archoll o'i cholli
Wnawn, oni siaradwn hi.

Dau fyr yn chwarae snwcer

Ar flaenau'u tra'd yn wastadol, – a rhaid
Wrth *rest* yn dragwyddol,
Er hyn mae peli ar ôl,
Swm odiaeth ansymudol.

Huw Dylan Jones

O ran ei fagwraeth gall ddweud, fel T. H. Parry-Williams, fod darnau ohono 'ar wasgar hyd y fro'. Gan fod ei dad yn gweithio i'r Swyddfa Bost treuliodd gyfnodau yng Nghaernarfon, y Bermo, Amlwch a Llanfair-pwll. Ar ôl graddio ym Mhrifysgol Bangor bu'n athro Addysg Grefyddol yn Ysgol Uwchradd Glan-y-môr, Pwllheli, am chwe mlynedd ac yn ystod y cyfnod hwn priododd â Mallt, merch o Langwm. Pan gafodd ei benodi'n bennaeth yr adran Addysg Grefyddol yn Ysgol y Berwyn yn y Bala saith mlynedd ar hugain yn ôl, symudodd y ddau i fyw i Langwm.

Bellach, wedi magu tri o blant yno – Alwyn, Awen ac Iestyn – dywed ei fod yn ei deimlo'n fraint cael perthyn i fro mor gyfoethog ei thraddodiad a'i diwylliant. Y diwylliant hwnnw, y cyfarfodydd bach a'r eisteddfod, a daniodd ei ddiddordeb mewn barddoni a'i ysgogi i fynd i ddosbarthiadau cynganeddu y Prifardd Elwyn Edwards. Bu'n aelod o dîm Talwrn y Beirdd Llangwm ac, ers rhai blynyddoedd bellach, o Dîm Talwrn y Beirdd Ysgol y Berwyn. Ar hyd ei yrfa yn yr ysgol dywed iddo fod yn falch o'r cyfle i drafod y gynghanedd, ar y dechrau gyda'r Prifardd R. O. Williams ac yn fwy diweddar gydag Arwel Emlyn a Gruffudd Antur.

Bellach, mae'n bennaeth cynorthwyol Ysgol y Berwyn ac yn weinidog rhan amser gyda'r Annibynwyr ym Mhentrefoelas. Yn yr amser rhydd prin sydd gan unrhyw athro mae'n mwynhau ambell gêm golff, gwylio'r hogia yn chwarae i Glwb Rygbi'r Bala, carafanio a cherdded.

Wrth agor llenni

Wrth llnau festri Seilo ryw brynhawn dydd Llun
Ar ôl y pwyllgor fu i drafod Cytûn,
Mi glywais ryw gyffro tu ôl i'r llenni.
Dyma fi yno a'u hagor reit handi –
A gweld cyfeilyddes yr Anglicaniaid
Ym mreichiau gweinidog y Presbyteriaid.
A dyma fi'n dweud heb arlliw o gerydd,
'Da gweld yr enwadau'n dod at ei gilydd.'

Cri'r anghenus

I ginio nid oes gennym – ond geiriau
Dy gariad sy'n ddi-rym,
Eneidiau truain ydym,
Mewn gweithred o gred mae'r grym.

Cariad

Mwy na gwylio'r tonnau'n torri – a'r wawr
Yn goreuro'r twyni,
A'r hwyl sy'n asbri'r heli,
Mwy na dim dy gwmni di.

Cerdyn

Yn unig mewn profedigaeth – daw hwn
A'i dyner gynhaliaeth,
Cysur i gur calon gaeth
A'i eiriau'n falm i'n hiraeth.

Cyfrifiadur

Er i'w gof ateb pob gofyn – a rhoi
        Yn rhwydd bob manylyn,
    Nid yw hwn yn fwy na'r dyn
    A roddodd ynddo'r gwreiddyn.

Deddf iaith

Afraid yw mynnu cyfraith – i noddi
        Hen waddol yr heniaith,
    Onid y plentyn uniaith
    Yn ei fro yw deddf yr iaith?

Haf gwlyb

O'r Berwyn i Bentreberw – o Gaer
        I gwr Abergeirw,
    Rhuthun, Tywyn, Timbyctŵ,
    Bob awr bu'n blydi bwrw.

Trobwll
(englyn buddugol Eisteddfod
Genedlaethol Môn, 1999)

Dim ond un, dim ond unwaith – yn y rêf
        I brofi o'i afiaith,
    Aeth un ag un yn ganwaith,
    A ffics ar ôl ffics yn ffaith.

Eglurhad

Wrth gerdded ar hyd strydoedd Llundain
Fe welais i drempyn o ddyn,
Gofynnodd am bres i gael cinio –
Nid oedd ganddo geiniog ei hun.
Gofynnais iddo'n geryddgar,
'Os rhoddaf y pres 'ma i chdi,
Wyt ti'n mynd i'w wario ar gwrw
Neu ai chwarae golff a wnei di?'
'Gwneud be?' meddai'r trempyn mewn syndod,
'Dwi ddim wedi yfed ers tro,
A dwi ddim wedi bod yn agos
At yr un clwb golff ers cyn co.'
'Reit, tyd,' medda fi wrtho wedyn,
'Fe a' i â chdi adra am bryd.'
'Ond beth am dy wraig?' meddai'r trempyn.
'Dwi'n drewi ac yn faw i gyd.'
'Paid poeni,' medda finna'n dawel,
'Dwi jyst isio iddi gael llun
Sut mae stopio yfed a golffio
Yn cael ffasiwn effaith ar ddyn.'

Mynwent Artillery Wood

(taith Ysgol y Berwyn i ymweld
â bedd Hedd Wyn)

Mae awr ar fideo Meri – o angau
Ieuengoed yn rhesi,
Un awr ymhlith y miri
Un awr i'n sobreiddio ni.

I gofio Nain: Nadolig 2002
(Mrs Buddug Jones Davies, Awelon, Llangwm,
fu farw 23 Rhagfyr, 2002)

Mae'n wir i ddrama'r Dolig ddod i'r cwm
A'r miri ddaw wrth ddathlu pen-blwydd Crist,
Ond 'leni trodd ein llawnder ni yn llwm
A gŵyl y geni drodd yn arwyl drist.
A do, daeth Santa â'i anrhegion drud,
Wrth droed pob gwely fe adawodd hwy,
Ond draw o'r glyn daeth lleidr hyna'r byd
A dwyn o'n haelwyd drysor llawer mwy.
Ac eto, yng nghyfarchion llon yr ŵyl
A'r rhoi, mae llaw ei charedigrwydd hi,
Ac yn yr addurniadau hardd a'r hwyl
Mae'r lliw a roddodd yn ein bywyd ni.
Ac uwch y stabl llwm mae'r seren gain
Yn ddisglair fel y wên ar wyneb Nain.

Gwyrth

Er fy mrad, er ei wadu – er beiau,
Er bywyd o bechu;
Er sawl tro 'i groeshoelio'n hy,
Erys o hyd i'm caru.

Rasys cŵn defaid

Er gallu'r ci i gyrchu,
Er dawn y dyn i'w yrru,
Y ffydd a'r deall rhwng y ddau
Sy'n sicrhau corlannu.

Emrys
(er cof am Emrys Jones, Pen-y-bont, Llangwm)

Mor chwithig yw gweld Pen y Bont yn awr
Yn wag a thywyll lle bu bwrlwm bro,
Ac yn lli'r Medrad mae rhyw hiraeth mawr
Wrth iddi basio heibio ar ei thro.
Mor drist yw gwedd hen gapel bach y Groes,
A griddfan wna Cwm Eithin drwyddo 'i gyd
O golli un fu'n gymwynaswr oes
A'r gân, y gainc a'r delyn oll yn fud.
Ond eto yn y gorlan yn y Llan
Mae rhai o hyd yn meithrin doniau'r plant,
Ymarfer wna'r côr meibion yn y man
Ac eraill ddaw i ddilyn crefft cerdd dant.
A thra bo ein diwylliant hen mewn bri
Fe erys Emrys Llangwm gyda ni.

Papur Bro

Papur ein cydlafurio – ei arwyr
Yw'r werin ddi-ildio,
Ei awen sy'n ein ieuo
O anian brith yn un bro.

Mul

Er y dychan amdanaf – am fy llun,
Am fy llais, ni hidiaf;
Yn y gân lle oesol gaf
Yn achos y Goruchaf.

Osian

(er cof am Osian Tryweryn Jones,
Llain Wen, Llangwm)

Un annwyl o ran anian – un â gwên,
Un di-gŵyn oedd Osian,
Un a roes yn llon pob rhan
O'i gyfoeth i ni'n gyfan.

Ymson Gwleidydd

Rwy'n wynebu pwyllgor disgyblu
Am droseddu yn erbyn fy mhlaid,
Fe dynnir y chwip oddi arnaf –
Yn wir, newid fy ngyrfa fydd raid.
Ni chefais fy nal wrthi'n twyllo
Na 'ngwely un o ferched y stryd,
Ni welwyd fy llun yn y tabloids
Am gamarwain y Tŷ, na dim byd.
Rwy'n euog o'r drosedd waetha'n y tir –
Wrth ateb rhyw gwestiwn, dwedais y gwir.

Arwres

Yno i mi bu trwy mywyd – yn cynnal
Mewn cyni a gwynfyd;
Heddiw i mi rhydd Mam o hyd
Ofal o'i henaint hefyd.

Sws

'O, Delyth!' meddai Dylan – yn ei gwsg
A'i gwasgu a'i swsian;
Anlwcus oedd y gusan,
Yn wir, ei henw oedd Ann.

Tafod glas

Heddiw mae amaethyddiaeth – er ei rym
Er ei holl wybodaeth,
Er arian, pob gwasanaeth,
I gyd i bry bach yn gaeth.

Priodas aur

Nid yw ym modrwy'r uniad,
Nid yw yn hyd y dathliad,
Y mae yr aur yng nghalon dau
Sydd yn parhau mewn cariad.

Priodas ruddem

Un ddeuawd trwy'r degawdau – yn gwlwm
Dwy galon o'r dechrau,
A'u rhin sydd heddiw'n parhau
Yn rhuddem ar eu gruddiau.

John Glyn Jones

Cafodd ei fagu ar fferm ar gyrion Dinbych. Yn y dref hon y derbyniodd ei addysg gynradd ac uwchradd, ac yn wir yn Ninbych y treuliodd y rhan fwyaf o'i oes. Wedi graddio mewn Amaethyddiaeth yn y Brifysgol ym Mangor, bu am gyfnod gyda'r Bwrdd Llaeth ac yna'n ddarlithydd mewn coleg amaethyddol yn Lloegr. Dychwelodd i Gymru fel athro ym Mhrestatyn, ac yna am chwarter canrif bu'n brif swyddog Cymdeithas Tai Clwyd.

Ymddeolodd yn 2007 ac mae'n cadw'n brysur fel ynad heddwch, llywodraethwr yn Ysgol Glan Clwyd a chadeirydd Cartrefi Cymunedol Gwynedd. Mae'n drysorydd y capel ac yn drysorydd Barddas. Ef hefyd yw un o olygyddion y papur bro lleol, *Y Bigwn*, a Chadeirydd Pwyllgor Gwaith Eisteddfod Genedlaethol Sir Ddinbych a'r Cyffiniau 2013.

Dysgodd y cynganeddion yn nosbarth nos y Prifardd Gwilym R. Jones yn y 1970au. Bu'n aelod o dîm Talwrn y Beirdd Dinbych er 1979 ac y mae bellach hefo Tîm Hiraethog ac yn cynnal dosbarthiadau ar y cynganeddion yn yr ardal ers chwarter canrif a mwy.

Bu farw ei wraig, Helen, yn 2011 wedi deugain mlynedd efo'i gilydd ac mae ei blant, Manon, Irfon ac Elliw, a'i wyrion, Loti, Catrin, Gwenno ac Ifan o gymorth mawr iddo wrth geisio addasu i'r newid mawr hwnnw.

Fy nyffryn i

(addasiad o Gywydd Croeso
Eisteddfod Genedlaethol 2001)

Mae alaw yn y moelydd
a rhyw gainc ym mrigau'r gwŷdd;
telyn aur yn nodau'r nant,
mwmian cân yn y ceunant.
Mae yna gerdd goeth mewn gwig,
llwyn a maes sy'n llawn miwsig.

Rhed Aled a rhed Elwy
drwy'r clai oer ym mryndir Clwyd
i lawr gwlad, â gwerthfawr glog
o frethyn braf Hiraethog
yn fur rhag yr awel fain
a'n heria ni o'r dwyrain.

Yr Eglwys Wen am ennyd,
heb os, yw canol y byd
a llwybrau'r hil lle bu'r og
rhwng gwŷdd ar ddolydd heulog.
Dan yr ynn rhodiwn yn rhydd
a hawliwn ei heolydd.

Yr ardal ddihafal hon
yn ei harddwch yw'n gwerddon;
cawn grwydro'n ei digonedd
a mwynhau erwau ei hedd.
Yn y fan hyn profwn ni
holl lawenydd Lleweni.

I Peredur a Cath ar enedigaeth Ella Wyn, Rhagfyr 2012

Yn wythnos y cynnar nosi – a'r loes
  o'r wlad bron â boddi,
  naws o'ch haf a gawsoch chi,
  Ella Wyn yn oleuni.

Cân

Na ro imi holl ramant – 'La Scala'
  os gwelaf ryw geunant
  a si'r dail yn gyfeiliant
  i seiniau hŷn llais y nant.

Bwrdd

Yn amser prinder, pob pryd
a fu yn rhan o fywyd
yr aelwyd, rhan i'w dreulio'n
ddwy res wrth ei dderw o.

Hanner awr o sgwrsio braf
a lle i lais y lleiaf
yn y dweud am hynt y dydd
a'r hyn a ddigwydd drennydd.

Heddiw'r wledd sy ar fwrdd-ar-lin
a gwag yw bwrdd y gegin,
a'n haelwydydd mewn tlodi
yn nydd ein digonedd ni.

Leah Owen
(mewn noson i'w hanrhydeddu wedi iddi dderbyn
Medal T. H. Parry-Williams)

Y mae un yma heno
â dawn brin i hudo'n bro
a'n cenedl; bu'i hacenion
draw ymhell o frodir Môn,
a swynodd ei llais hynod
ninnau, bawb, i fêr ein bod.

Amheuthun yw'r un a all
roi ei horiau i arall.
Rhoi amser i bob seren
a wnaeth Leah gyda gwên.
O wers i wers fe ddug hon
y rhai iau i'w gwobrwyon.

Trwy'i hegni bu'i phartïon
ar y brig bob amser bron.
O'i hamynedd daeth mwyniant
a hen wefr gan Lleisiau'r Nant.
Ry'm heno yn gyffro i gyd
ag Enfys yn creu gwynfyd.

Hyn oll wnaeth Leah i ni.
Rhoddwn yn eiddgar iddi
ddiolch am fod mor ddiwyd
a byw'n y rhan hon o'r byd.
Haeddu brwd anrhydedd bro
y mae un yma heno.

Croes (er cof am Helen)

Gwyddwn fod gair a gweddi – yn amal
o gymorth i'w chodi
rywfaint; roedd rhaid ei phrofi
i mi weld mor drom yw hi.

Twm-Twm

Nid trwy ddeddf ond yn reddfol – o ufudd
i'w Sat Nav tymhorol
ar ei hunion daw'r wennol
i'r un nyth adre yn ôl.

Breuddwyd yn yr Eisteddfod

Neithiwr, o'r düwch llethol, – y gwelais
trwy'n Gŵyl, ein dyfodol;
gan weld y Gymraeg yn ôl
yn ein bro yn barhaol.

Nadolig 2012

Heb le Iddo yn ysbleddach – yr Ŵyl,
a'r elwa o sothach,
onid gwell fyddai bellach
inni roi'n byd i'r Un bach.

I Gwyn a Ceri ar achlysur eu priodas, Medi 2012

Mae llwybrau dau heddiw yn dod – yn un,
a thyner yw'r undod;
dau ifanc un eu defod,
dau gytûn yn un eu nod.

Pulpud

Mae'r pren mor gadarn arno – ag erioed,
a'r grefft aeth i'w lunio,
ond wir, o Arglwydd, dyro
hoelion wyth i'w lenwi o.

Traddodiad

Inni fe roddwyd ffynnon – o ddŵr pur
a ddarparai ddigon
ddoe i ni. A fydd yn hon
yfory ryw ddiferion?

Rhy hwyr

Yn ddi-ffael, a fo'n gwaelu, – af i'w weld,
ei fyd yw'r ysbyty;
ond heno rhaid twtio'r tŷ,
fe af, hwyrach, yfory.

Eira

Un bluen wen hamddenol – yn ysgafn
ddisgyn yn ysbeidiol
a wna i ni droi yn ôl –
wna esgus i gau'r ysgol.

Michael Collins

Gwelodd fwledi'r gelyn – a'u hosgoi
ar y sgwâr yn Nulyn;
ond daeth un fwled wedyn
o blith ei bobol ei hun.

Diwedd blwyddyn

A hon yn ei phenwynni – yn gwaelu,
    nac wylwn amdani;
    mae erioed yn ei marw hi
    lawenydd yr aileni.

Lôn

Ar y draffordd yn corddi – mae y myrdd
    wybed mân. Trueni
    i'r rhai hyn droi ohoni
    hyd Lôn Wen ein cenedl ni.

Tân gwyllt yn Llydaw

Y lloer uwch y lli arian – yn olau
    i'r miloedd sy'n syfrdan
    min hwyr braf y gyflafan
    yn Bénodet, a'r bae'n dân.

Egwyddor

Y gost o sefyll drosti – yn gadarn
    yw'r gwawd a ddaw inni;
    ond o weld mor ddrud yw hi
    gwelwn werth glynu wrthi.

Hen degan

Ei hwyneb llaith yn llonni – ac yna
    daw gwên, ac mae Tedi
    fu i Nain yn gwmpeini
    ym mynwes ei hwyres hi.

Ayrton Senna

Fe gafodd rhywfodd yn rhad
dalent i hollti eiliad;
wedi'i chael bu, gyda chwys,
yn unig o lwyddiannus.

Ei wylio nes o'r golwg,
dim i'w weld ond cwrlid mwg
ei Williams drwy'r corneli
yn chwarae â'n hofnau ni.

Hyd darmac y trac daeth tro
un arall chwim i'w herio'n
nes o hyd ac yn sydyn
o'i ôl daeth angau ei hun
fel llofrydd ar ddydd o haf
a'i ddal cyn y floedd olaf.

Un eiliad yn troi'n alar
uwch ei gorff yn arch ei gar;
ar y Sul ei ras ola'
ôl ei waed sy'n Imola.

Llythyr Pennal

Ag Owain bron mewn gwewyr – yn aros
        Am air gan y Ffrancwyr,
    Ebe ef wrth bawb o'i wŷr:
    'Lle aeth y blydi llythyr?'

Robbie Savage

Robi, y bythol rebel, – un â dawn
i danio gwrthryfel,
a hynny yn y twnnel,
iâr heb ben yn chwarae pêl.

Newid

O un i un diflannant
heb lol; i'w benthyg cawn blant;
a'r cartre, wrth ddistewi,
a ddaw'n ôl yn eiddo i ni.

Dau riant di-blant a blin
yn ein nef anghynefin
yn gorfod dysgu arfer
â glendid gwag, newid gêr.

Ac yna daw cydganu
'Nain' a 'Taid' i lenwi tŷ.
Cawn fod am ddiwrnod neu ddau
yn weision i'r wyresau.

Epynt

Erwau lle bu dryllio byd, – a'r rheibio
yn rhybudd i'n hawddfyd;
mae eraill yn cymeryd,
gae wrth gae, ein tir i gyd.

Fy ngwlad

Ei harddwch sy'n fy nghorddi,
mae Cymru'n fy nychryn i.
Darlun o'r gelyn a gaf,
yn ei heulwen fe wylaf.
Gwlad o frad yw y frodir
a daeth ofn i rodio'i thir.

Yn nhir hon fe welaf dranc
ein hynafiaid yn ifanc
yn ymladd gelyn amlwg –
yn y drin hawdd gweld y drwg.
Angau a'i loes dros fy ngwlad,
angau ein darostyngiad.

Nid oes ffin rhwng byddinoedd
ar y waun fel ag yr oedd.
Mae'r gad yn anweladwy,
yn ein mysg mae'r gelyn mwy.
Yn y weniaith mae'r gwenwyn,
y mae ias mewn geiriau mwyn.

Ond cariad at wlad a lŷn;
y mae harddwch mewn murddun,
ac o lwch daw dolydd glas,
aileni o alanas.
O farwydos y frodir
daw tân i gerdded y tir.

Gwion Lynch

Er na ddywedodd neb erioed iddi fod yn golled anferthol pan roddodd y gorau i fod yn athro ysgol ar ôl dim ond blwyddyn o droi plant Glannau Dyfrdwy yn Gymry Cymraeg rhugl, y mae'n argyhoeddedig y byddai wedi bod brifathro disglair erbyn hyn! Fodd bynnag, ffermio ar fferm Bryn Ffynnon, Llangwm, gyda'i wraig, Meinir, a'u pump o blant y mae Gwion Lynch ers sawl blwyddyn bellach.

Dywed iddo gael addysg ragorol yn Ysgol Gynradd Carrog ac Ysgol y Berwyn cyn mynd ymlaen i raddio o Brifysgol Bangor. Enillodd y Fedal Ddrama yn Eisteddfod Genedlaethol yr Wyddgrug yn 1991 ac yn dilyn hynny cafodd gyfle i ysgrifennu pennod brawf ar gyfer *Pobol y Cwm*, ac y mae'n dal i sgriptio i'r gyfres deledu boblogaidd.

Gwrando ar y Prifardd Elwyn Edwards yn trafod y gynghanedd yn Siop Awen Meirion yn y Bala wnaeth feithrin ei ddiddordeb mewn cynghanedd yn y lle cyntaf, a phe bai, meddai, yn gallu rhag-weld blwyddyn wan a gallu sicrhau bod mêt yn beirniadu, yna byddai ganddo obaith o fod yn Brifardd – hwyrach!

Cerdd Groeso Eisteddfod Powys,
Corwen 2008

Agor drws ar gwr y dre' – drws hen dŷ,
  Drysni'n dew drwy'r simdde,
  O llnau'r llwch sy'n llenwi'r lle,
  Weithwyr, rhown sglein i'r Pethe.

Dychwel i lys uchelwr,
I lain dysg ym Mro Glyndŵr,
Aros a chael doethuriaeth
Y ffridd gan amaethwyr ffraeth.
Dewch yn awr, Rhydychen yw
A chrud ein dechrau ydyw.

Wel'di'r barrug yn cofleidio'r Berwyn
A brath ei fagnel yn trechu'r gelyn,
Mae inni ddur yn y mynyddoedd hyn,
Hen wynt a'i oerfel yn gloddiau terfyn,
Â'r llwydrew uwch Caer Drewyn – yn cilio,
Daw awr y deffro i grwydro'r dyffryn.

Mae gafel hen wehelyth
Ar eu byd yn para byth,
Llinach faith yw'r cydweithio,
Criw o frid yn caru'r fro
A chae o weision yn chwysu
Yw gwŷr y wlad, teyrngar lu.

Y mae sglein llachar i'r darian – a'n draig
  Uwch y dre'n cyhwfan,
  A daw'r gerdd, y mydr a'r gân,
  Yr holl lafur i'r llwyfan.

Vinnie Jones

Yn nyddiau'r miliwnyddion,
bali grîd yw y bêl gron.
Aur ac arian yw'r gorwel,
byd y bunt yw byd y bêl.
Ni, y ffans, sy'n talu'r ffis
a'u seis rhy fawr i'r sisis.

Mwy erchyll yw gweld merchaid
yn awr, yn chwarae'n un haid.
Gêm dynion yw hon i fod
a no wê i fenywod.
Lle nhw a'u teip yw ll'nau tŷ,
neu o golwg, mewn gwely.

Eisoes fe ddaeth tywysog
drwy y niwl o Dir na n-Og.
Mae'n ugain Owain yn un,
gall hawlio clog Llywelyn,
mae o'n sant, *'like my own son'*,
y waldiwr o Wimbledon.

Fel dwsin o fwldôsars,
mae'n taclo, yn stampio'r *stars*,
hwy'n gorwedd yn llorweddol
yn deud dim, dim byd at ôl;
y sêr sy werth namyn swllt,
un a'i goesau'n ddigyswllt,
heb gaill – aeth un i bob gôl
(mae hynny'n annymunol).
A hen arddull llawn urddas
a dry wimps yn fois o dras.

Fy nhad
(hunodd yn blygeiniol Nadolig 2011)

Yn neffro'r Ŵyl y ffarweliodd, – ar daith
Gyda'r doethion cerddodd
Ac aeth, fel y pregethodd
Drwy'i fywyd, i fyd o'i fodd.

Fy mam
(hunodd Rhagfyr 1981)

Er i'r hin oeri ennyd – er i'r rhew
Roi'i wedd ar anwylyd
Ac er gerwinder gweryd,
Mam i mi yw hi o hyd.

Fy chwaer, Amranwen Haf
(hunodd Mai 2003)

A'r ddaear eto'n llawn arlwy – ym Mai
Mae haf ar y trothwy,
Ond rwyf yn gwybod fwyfwy
Nad yw'r mis ond lleidr mwy.

Owain Glyndŵr

(ar achlysur dadorchuddio cofeb i Owain Glyndŵr
ar sgwâr Corwen, 22 Ebrill, 1995)

Ar sgwâr Corwen eleni
y mae mwy na maen i mi,
ar hwn adeiladwn lys
yma ar y graig rymus.
Daw'r plant i ailgodi'r plas,
Edeirnion eto'n deyrnas.
Dyma ddaear fydd darian,
erwau hil sydd ar wahân.
A daw Owain o'r diwedd
Yma'n ôl i'w dir mewn hedd.

Trefor Jones, Llangwm

(hunodd Tachwedd 2001)

Rhoes inni iaith Gellïoedd – 'n ei gwasgod
A'i gwisgo i'r ffriddoedd,
Ar y waun amaethwr oedd
A gwladwr rhugl ydoedd.

Hefin Roberts
(capten ail dîm y Bala am flynyddoedd)

Llwydrew a'r tîm heb newid, – ni churwn
Na chwarae, oblegid
Mae'r gêm a'r miri i gyd
Yma'n gyfan mewn gofid.

Nia
Môn

Mae Nia, bellach, wedi ymgartrefu yn ardal Llanelidan /
Pentrecelyn, ger Rhuthun. Bu'n byw yn Nyffryn Clwyd er 2006,
a chyn hynny bu'n byw mewn sawl ardal yng Nghymru, gan
ddechrau yn Sir Benfro, Sir Fôn, yna Sir Gaerfyrddin lle bu'n
ddisgybl yn Ysgol Gyfun Bro Myrddin. Yma bu Tudur Dylan
Jones yn athro Cymraeg arni, ac yr oedd yn un o aelodau cyntaf
ei ddosbarth barddol. Astudiodd y Gymraeg ym Mhrifysgol
Aberystwyth, ac yna bu'n byw ac yn gweithio yng Nghaerdydd,
Caernarfon a Llanberis cyn symud i Ddyffryn Clwyd.

Enillodd gadair Eisteddfod yr Urdd yn 1997, a'r Wladfa yn 2007.
Mae bellach yn briod gyda thri o blant. Er ei bod yn gallu creu
brics y gynghanedd, y delyneg yw ei maes fel rheol. Mae'r cynnyrch
yma, gan fwyaf, yn deillio o waith ar gyfer Tîm Talwrn y Beirdd y
Ship Caernarfon (gan ei bod, meddai, 'yn rhy ddiog i farddoni heb
ddedlein!'); bu'n aelod o'r tîm hwnnw ers bron i ddeng mlynedd.

Y farchnad

Mae'r prisiau'n codi
wrth i ni dollti tai newydd
i geg y ddaear,
gyda'n punnoedd.
Pob asiantaeth
yn troi
llif arian
i'w melin ei hun.

Chwarae gyda'r miloedd
anweledig.
Y rhifau papur
i'w ffeilio'n dwt.

Chwarter canrif
o raff am wddf,
a minnau fesul mis,
fricsen
yn agosach at berchnogaeth.

Gan fod miloedd mwy mewn *magnolia*
a *laminate* yn eilun cenhedlaeth,
rwy'n treulio f'amser
a'm harian
mewn siopau cyrion
er mwyn cystadlu
â 'nghymdogion.

Dyw eiddo yn ddim
ond arch 'di phapuro'n ddel.

Ac wrth i lechi 'nyhead lithro
yn fy mrwydr â meidroldeb,
caf eistedd ynddo'n
cuddio'r craciau
ym mrics fy modolaeth.

Cyn pasio'r baton
dan forthwyl
i'r genhedlaeth nesaf.

Lliain bwrdd

Bu Taid yn dyfal ddewis derw praff,
a'i gerfio'n dyner hyd nosweithiau hir
i'w lunio'n fwrdd. Ei law a'i lygaid craff
yn naddu cariad hyd y coedyn ir.
Calon y gegin, lle dôi'r haf a'i ŷd
i estyn cadair at y dorth a'r te,
a chywain straeon blasus dros y pryd,
rhwng tynnu coes a rhoi'r byd yn ei le.
Bu gwres y sgwrs fel cwyr yn iro'r graen,
a min y cof yn hollti'r coedyn noeth,
aml ddefnydd yn greithiau, a phob haen
fel briwsion sych; ond taenwyd lliain coeth
i weini ar ddieithriaid frecwsast drud,
a chuddio'i hagrwch; trodd y bwrdd yn fud.

Machlud

Ynom ni mae'r machlud,
tynfa oes
at orwel yr agosáu
cyn y suddo
sydyn.

***

O'i echel
mae'r haul
yn troi ein dyddiau
o hyd,
a ninnau'n ein bydoedd benthyg
yn treisio'r tir
â'n gormodedd,
pluo'n nythod plastig,
creu gwlad goncrit
sy'n boddi'n trefi
dan lif ein twpdra.

Wrth i'n hanes
ddadmer
yn ddiferion
oer,
a phatrymau tryloyw pob ddoe
araf
feirioli
rhwng y plu,
fe herciwn ein tipyn achubiaeth
gloff
i ailgylchu'n byw
dan faner werdd
euogrwydd.

Ni wna
un pilipala o wahaniaeth.

Pan ddaw hyn oll i ben,
daw heuldro cyson
i freuo'n hanes ffôl,
daw'r ddaear yn ôl
i dorri gwreiddiau drwy darmac,
yr egin i ymwthio'n
dawel bach
drwy ddrain ein byw.

Daw'r dail i fwrw'u lliwiau,
a'r gwlith i daenu llen o gysur
dros hen diroedd ddoe.

Cans ym mhob machlud
mae gwawr,
a byd newydd
yn codi eto
o'r gweryd.

Arfer

(Efan yn cychwyn yn yr ysgol)

Rhwng haul a hindda,
tyfu mae'r dillad ar y lein
rhwng peg a pheg.

Smwddiaf grych perffaith
trwy ddagrau'r stêm,
plygu i drefn.
Rhwbio 'nghariad yn sglein
i flaen pob esgid.

Gwisgo;
dy ben melyn
yn gwthio drwy'r crys tyn
fel aileni.
A'th brifiant
yn logo balch dy deirblwydd.

Llun,
a'th wên yn lwmp yn fy ngwddf.
Taith fer i'r ysgol
a'r buarth yn gwahodd.
Dwi'n dal dy law yn dynn,
a thithau'n gollwng.

Diosg

Tynnu'r tinsel.
Datod y ddrama drydan
sy'n fflachio'i golau olaf.
Gwaddol ein gwariant
dan gawod pinwydd
blêr.
Plygu'r sanau
gwag,
a'u pentyrru dros angylion
a sêr papur.
Peli sgleiniog sêls llynedd
yn swp.
Pacio'r ŵyl i focs llychlyd.
Ailgylchu cyfarchion
a lluniau bywydau diarth hen ffrindiau
na welaf o ŵyl i ŵyl.
Mae'r stafell yn noeth,
yn rhydd o'i duwdod ffals
a'r tinsel rhad.

Addewid:
(iselder Ionawr)

A Ionawr yn fy nghalon
mae'n ddu
a'r dyddiau'n drwm.
Glaw di-baid yn diferu
trwy 'mhen,
cyn cronni ym mhyllau
oer
fy llygaid.

Cysgodion
yn gwasgu
o bob cwr,
a'r gogledd
yn chwipio
'myd
yn noeth.

Bu'r heuldro
a goleuni'r ŵyl
calan arall
ond acw'n rhywle
tu hwnt i'r gwyll
fe ddaw, efallai
wanwyn i'r ddaear lwyd,
cannwyll o leuad
i dorri'r nos
sy'n gwmwl yn fy mhen.

Rhyw anweledig rym
sy'n tawel wthio
bywyd nawr trwy'r tir –
i gychwyn eto.

Wynebau
(lluniau o'm modryb a fu farw)

Yn yr atig
mae albwm
yn drwch o gelwydd.
Eiliadau o fywyd
nad yw'n bod.

Syllaf ar bob llun
i geisio canfod
rhyw ystyr coll,
rhyw adnabyddiaeth
tu ôl i'r wên.

Llun ysgol,
a thithau fel y gweddill
yn gefnsyth syllu i geg y camera
heb arwydd o dy ffawd
yn nhroad dy ruban gwallt.

Ti'n fyw i eraill
yn eu cof,
ond ni fedraf ganfod
mwy nag eiliadau o dwyll
rhwng dalennau llychlyd,
a'r haul yn araf dynnu'r lliw ohonot.

Y llun olaf,
a'm chwilfrydedd teirblwydd
yn hoffi'r blodau
sy'n ddagrau lliwgar hyd y pridd du.

Ti

Bwndel noeth o
berffeithrwydd
rhwng curiadau
caethiwed,
a sgrech
hualau dy ryddid newydd.

Gwisgwn ein disgwyliadau amdanat,
gweu ein gobeithion
yn flanced i'th fowldio'n dynn.
Dy basio'n
degan balch
o un i un,
a cheisio adnabod pob blewyn ohonot.
Canwn ieithoedd perthyn
i'th suo'n un â ni.

Ond wrth i ti syllu i fyw fy llygaid
gweli mai ti dy hun sydd yno,
neb arall
ond ti dy hun.

Gwlith

Un noson ddi-gwsg felys
a ninnau'n llawn gwenau,
daeth y wawr
i sbecian rhwng llenni.

Ein tynnu lawr grisiau
i ddianc yn dawel
hyd balmentydd cwsg,
law yn llaw
at lannau'r Fenai.

Ac yno,
croesi cae
dan hud
a gosod ein hanes
yn llwybr perffaith
hyd y glaswellt.

Hanner awr
o hud,
cyn i wres y bore
sychu'r dagrau
hyd godre 'nhrowsus.

Pont

(teithio i Dalwrn yn Nhalwrn –
cartref fy niweddar Nain a Taid)

Ynys unig heno
yw'r lôn,
a ffyrdd cul
hen daith
yn donnau
anghyfarwydd.

Pob bwa'n taflu'i gysgod,
a chadwyni fy nghreu
yno'n hongian.

Croesi
i dir neb,
a phaned o gwpan dieithr.

Berwyn
Roberts

Ganwyd a magwyd Berwyn Roberts ym Mhenrhyndeudraeth, a derbyniodd ei addysg gynnar yn ysgol y pentref. O awyrgylch gartrefol yr ysgol fach, camodd wedyn i ganol Seisnigrwydd Ysgol Ramadeg y Bermo. Tipyn o newid byd, mae'n cyfaddef, a phrofiad sy'n dal i'w gorddi hyd heddiw.

Yn 1957 ymunodd â'r heddlu. Treuliodd gyfnod wedyn yng ngwaith ffrwydron Cooks ar gyrion y pentref – ffatri a gynigiai gynhaliaeth i gannoedd, a gwaith a adawodd ei ôl ar lawer, ar sawl ystyr. Yn 1960 cododd ei bac ac anelu am Fangor, a'i fryd ar fynd yn athro. Yno y cyfarfu ag Olwen, ac ar ddiwedd ei dair blynedd yn y Coleg Normal, ac yntau erbyn hynny yn rhyw gyw athro, priododd y ddau ohonynt ac ymgartrefu yn Ninbych. Cafodd swydd yn Ysgol Christchurch, y Rhyl, ac yn ystod y cyfnod yma daethant yn rhieni balch i Meinir a Llinos. Erbyn hyn y maent yr un mor falch o'u hwyresau, Cirin, Hanna, Lara a Lili.

Yn nechrau'r 1970au cafodd ei benodi yn swyddog maes i'r Uned Iaith Genedlaethol. Dyma'r cyfnod y dechreuodd ymddiddori yn y cynganeddion, a hynny dan lygaid praff ei dad-yng-nghyfraith, sef y Prifardd Gwilym R. Jones. Mae wedi cyfrannu'n frwd i fywyd Cymraeg tref Dinbych dros y blynyddoedd, ac mae'n aelod o sawl cymdeithas a mudiad. Cyhoeddodd gyfrol o'i gerddi, yn dwyn y teitl *O'r Felin*.

Conffeti

Buont yn lliw mewn bywyd – ond yn awr
dyna nhw fel clefyd
yn stremp ar wyneb y stryd –
mynwent y sioe bum munud.

Allwedd

Techneg y seicolegydd – yw cael hwn
i dwll clo'r ymennydd;
O nos lwyr y selerydd
mae'n agor dôr tua'r dydd.

Er cof am Mair Silyn

Hon a roesai o'i mynd prysur – yn un
na fynnai ei fesur;
Rhoesai wên i'r oriau sur
a'i hoes i weini cysur.

Alan Llwyd

Bu'n ystyriol ddidoli – yn ddiwyd
yng ngardd awen inni
a rhoi'n hael o'i stôr i ni –
garddwr y blodeugerddi.

Ar ymddeoliad ymgyrchydd
dros yr iaith

Heddiw i ti sy'n ddiwedd taith – hwyliaist
ar awelon gobaith;
Yn ynys buost ganwaith
ym merw hallt storm yr iaith.

Cychwr

Athrist yw gweld dieithryn – â'i lafnau
　　　ar erwau Tryweryn
　　　a'u gwaniad yn agennu'n
　　　archoll hir ar ddrych y llyn.

Pysgota

Anelais am lafn o olau – a dal
　　　y dydd yn ei liwiau,
　　　ond gwelais yn ei gleisiau
　　　ei nos wrth i'r lein dynhau.

Gafael

Rhoi eli ar y ffarwelio – a wnawn
　　　yn iaith y cofleidio;
　　　Wedi'r wên daw deigryn dro
　　　a'r dal yn gwynnu'r dwylo.

Llythyr

Yn y neges ym mhlygion – ei eiriau
　　　mae her hen obeithion
　　　yn gafael mewn atgofion
　　　iasau byw sy'n newydd sbon.

Helen

Mi wn mai dim ond am ennyd – yr aeth
　　　dros drothwy y machlud;
　　　mynd tua thref, ond hefyd
　　　y mae hi yma o hyd.

Cysgod
(un o ddinasyddion Hiroshima
neu Nagasaki)

Anadlai'r dydd yn fodlon – ni welodd
yr eiliad na'r ffrwydro'n
llosgi llwch ei weddillion
yn glais i gerrig y lôn.

I Leah ar achlysur derbyn medal
T. H. Parry-Williams er anrhydedd

Ag afiaith rhoddaist yn gyfan – y rhodd
o freuddwyd fu'n llwyfan
anrhydedd a rhoi trydan
hyder gwawr yn nodau'r gân.

Cadw-mi-gei (gwiwer)

Yn aflonydd ddiflino – hi ddeuai
yn ddiwyd i storio.
Yna cael o fap y co'
y wledd yn awr y cloddio.

Beddargraff bownsar

Rhoes ei waed fel dŵr i'w swydd – hoffai hwn
weld ffeit yn ddyletswydd;
dyn gwyllt wedi mynd o'n gŵydd
i dwrw hen ddistawrwydd.

Gwarchod

Tyrd, fy mach, tyrd hefo mi
i oes lle nad oedd nosi.
Tyrd i fyd y cynfyd coll
i edrych a gawn grwydro
lle bu meillion yn donnau
a'u dawns 'n ein meddwi ni'n dau.
Tyrd o'na, tria daenu
golud y bywyd lle bu
y Twrch Trwyth a'r tylwyth teg
yn aur yn llwydni'r garreg.
Tyrd o'na, yna awn ni
a dwyn y pair dadeni.

Cartref henoed

Dacw nhw'r criw di-droi'n-ôl –
nhw ar ffyn eu gorffennol
mewn claear stafell aros
â'r un ofn am drên y nos.
Eiddilwch yma'n ddelwau
'niwedd oes yn un o ddau.
Er chwennych cario chwaneg,
mae'u bywyd a'u byd ar beg
ac yn haf eu hystafell
eu pwnc yw'r blynyddoedd pell.
Rhannant storïau'u heinioes
y byr eu cam, broc eu hoes.
I wŷs cloc ânt heb docyn
yn slei i'w hynt fesul un.

Twm o'r Nant

Barnodd y gwirion ym miri'r ffeiriau,
prociodd y cadarn yng nghlydwch eu ffydd
a chamodd drwy ddrych ei berfformiadau
i gynnig i'r dorf ryw ddyhead cudd.
carai hwyl fasweddus criw y dafarn –
teimlai'n bechadur yn y cyrddau moes,
hoffai win y cymun a'r ddiod gadarn,
ffieiddiai ragfarnau a chulni'i oes.
dysgodd sut i dorri crib â geiryn
neu ddenu fflach 'run modd i lygaid pŵl,
gwelodd rym dychanu i godi gwrychyn
a gwerth y gwir ar dafod ffraeth y ffŵl,
rhoes ei lais i'r byddar, a'i glyw i'r mud,
gwamalwr oedd a difri yr un pryd.

Caethiwed
(i gofio am Mrs Gwyneth Griffiths)

Doe hon nid yw ond ennyd,
heddiw mae ei byw'n ddim byd.
Yr anwyla'n llipa'i llaw
a'i hunlle – bod heb ganllaw.
Dieiriau yw y stori
yn llwyd nos ei Lladin hi.
Ond o'r wên cawn weld yr had
neges yn sgwrs ei llygad.

Dafydd Emrys
Williams

Ganwyd a magwyd Emrys Williams ym Mhen Lôn Almon, tyddyn bychan yn ardal y Rhiw ar gyrion plwyf Llansannan. Yr oedd ei gartref ryw filltir a hanner o Ysgol Rhydgaled a rhywbeth tebyg, ar draws caeau, i gapel y Rhiw – dau le oedd yn bwysig iawn iddo yn y dyddiau cynnar.

Adeiladwr oedd ei dad, tra bod ei fam gartref ar yr aelwyd yn magu'r plant. Ar ôl gadael yr ysgol aeth i goleg technegol Llandrillo-yn-Rhos i ddysgu crefft saer coed a gweithio gyda'i dad bob yn ail. Mae'n debyg i lawer o bobl ddylanwadu arno yn y cyfnod cynnar hwn, ac yn arbennig felly William Wyn Jones, Top Llan, Llansannan. Roedd yn ŵr hyddysg mewn barddoniaeth a hanes lleol, yn bregethwr lleyg ac yn gwmni heb ei ail. Ef, yn anad neb, a daniodd ynddo'r diddordeb mewn englyna a barddoniaeth.

Ar ôl iddo briodi Eirian, ymgartrefodd y ddau yn Llangernyw, lle sefydlodd ei gwmni adeiladu ei hun. Mynychodd sawl dosbarth nos, yn cynnwys dosbarth cynganeddu dan ofal y diweddar Dafydd Jones, Clytiau Gleision, Llansannan. Mae ganddo hefyd ddiddordeb mewn hanes Cymru a'i henwogion ac yn arbennig felly yn hanes Llansannan. Ac yntau bellach yn daid, y mae wedi gwirioni'n llwyr gyda'i ŵyr a'i wyresau bach!

Milltir sgwâr

Nid cyffro rhyw anturiaeth
Mewn daear bell a fyn,
Na bro tu hwnt i'w orwel,
Mae'i bopeth yn fan hyn.

Ei ffrindiau a chydnabod
A llwybrau bore oes,
Ei gapel a'i gymdeithas,
Ei wynfyd uwch pob loes.

Mae'r tiroedd hyn yn ddigon
I'w fyd diangen o,
Fe ŵyr ef am rinweddau
Pob modfedd yn ei fro.

A phan ddaw'r dyddiau olaf
I grwydro ffridd a dôl,
Y caiff fel ei ddymuniad
Gael mynd i'w phridd yn ôl.

Aredig

Yn araf gŵr yr Hafod – â i'w dir
Ar doriad y diwrnod,
O'r glannau daw'r gwylanod,
Ac wele hwy'n canu'i glod.

Dathlu priodas

Rhannu rhamant ac antur – rhannu oes,
Rhannu hwyl a chysur,
Rhannu cof a rhannu cur,
Hyn yw ias yr achlysur.

Bro Aled

Adwaenir fel tir cantorion – hen faes
I feirdd a llenorion,
Y wlad sydd mewn dyledion
O fawrhad i'r henfro hon.

Beddargraff

Yn y ddaear rwyf yn aros, – ers sbel
I angel ymddangos,
A'm dwyn o hirlwm dunos
Fel oen bach o flaen y Bòs.

Cysgod

O dan y dderwen ddeiliog
Ni thyf 'run blewyn ir
I ddenu chwant y fuches,
Ond yno dônt cyn hir.

Mae cwrlid o gymylau
Yn duo'r gorwel draw,
A'r awel yn cyflymu,
A'r dail yn gaddo glaw.

Yn sydyn rhua'r storom
Yn llafar uwch fy mhen,
A'r mellt ar wib yn teithio
Gan rwygo trwy y nen.

Ond yno dan y dderwen
Mae'r fuches oll yn glyd,
Yn mochel nes bydd deiliach
Yn dweud bod newid byd.

Diawl o ges

Mae'n 'gymêr' ein hamserau – un annwyl
A doniol ei gampau,
Llawn o hwyl i'n llawenhau
Hwn yw 'clown' ein calonnau.

Jacwsi

Bybyls o ddirgel bibell – yn llifo
I'r llefydd anghysbell,
I hen goes nid oes dim gwell
Na'i eneiniol ffynhonnell.

Joseff

Magodd frenin brenhinoedd – yn annwyl
Gan rannu ei werthoedd,
Ond ei loes yn dawel oedd
Nad ei dad o waed ydoedd.

Mynydd

Hen erwau fy anturiaeth – yn greigiau
A'r grug yno'n helaeth,
Hyn a'i fawndir gwyd hiraeth
Imi'n awr am gwmni aeth.

Soar Moelunben

Er bod Soar yn aros – i'w annwyl
Ffyddloniaid ymddangos,
Yr ychen sy'n nhŷ'r achos
A'r adar yn oedfa'r nos.

Meistr

Feistr braf, tecaf wyt ti,
Un hynaws dy haelioni.
Un o fil, wyt nefolyn,
Wyt yn dduw ond eto'n ddyn,
Synhwyrol dy foesoldeb,
Ni wnest erioed ddrwg i neb
Y llwyddiant oll a haeddaist
A'th gryn eiddo, do myn diaist,
Y Merc, Saab a chwch i'r môr
A'r amal wyliau dramor.
Di-ail yw'th wraig a'th deulu –
Hi yn giwt a phlant mor gu,
Ac annwyl dy gi anwes
A'r oll o'th gathod yn rhes.
Ar ein daear yn arwr
I lu wyt, ond sylwa, ŵr,
Daw rhagor o'r clodfori
Drwy roi mwy o dâl i mi.

Tatŵ

Ar ei fogel Pwllheli – ar ei fraich
Tref y Rhyl a weli,
A jiawl mae Llanfair P.G.
I'w weled hyd ei wili.

Cymydog

Un daer am chwyddo stori – un a'i thrwyn
Wrth raniad y llenni,
Er beunyddiol ei holi
Mae'n glên pan fo'i hangen hi.

Gwlith

I weiriau y dolydd
Yn ysgafn y daw,
A'i fendith i'r tyfiant
I aros y glaw.

Yn gwlychu i'r eithaf
Heb storom na llif,
Y nosau'n gwasgaru'r
Pelydrau di-rif.

Fe ddywed fy enaid
Y daw Ef ei hun
I daenu yn dawel
Belydrau dros ddyn.

Diolchaf wrth dderbyn
Y mymryn bob dydd,
Fu'n gyson trwy 'mywyd
I nerthu fy ffydd.

Wy

Dywedodd iâr tra'n dodwy – 'Onid yw
Yn dasg anghredadwy
I'm orfod ei dreiglo drwy
Fynediad bach ofnadwy?'

Ffisig

Y blasu nid yw'n bleser, – ond er hyn
Taid y Rhos a'i cymer
At ei oed a'r *wear-'n-tear*
Yn y Swan bob nos Wener!

Mainc

Ni wyddai saer y pentre
Wrth drin a hoelio'r pren
Mai hon fai aelwyd gynta
I mi a'm hannwyl Gwen.

Fin nos yr hafau hirion
Y sgwrsiem oriau maith,
A graen ystyllod derw
Yn sylfaen gref i'n taith.

Yn ystod ein priodas
Y daethom ni yn ôl,
I eistedd ac i gofio
A Gwenno yn fy nghôl.

Aeth trigain mlynedd heibio
A phydru wnaeth y pren,
Ac arall saer sy'n gweithio
Ar aelwyd olaf Gwen.

Cartref

O'u rheswm rhai yn drysu – a'r rhelyw
        Ar waliau yn syllu,
    Aelwyd, heb gwmni teulu,
    I'r to hŷn farw yw'r tŷ.

Chwyrnu

Un nos Sul draw yn Seilo – bu arwydd
        O embaras yno,
    Pregethwr a'r cwr' o'u co',
    Blaenor oedd wedi blino!

Y garreg a wrthodwyd

Mynnodd y seiri meini
Mai da i ddim ydoedd hi,
Rhy sâl i godi'r seiliau
A rhy wael i gario'r iau.
Craig o ddyn fel carreg ddaeth
A'r gwŷr heb weld rhagoriaeth.
Yn ddameg o garreg oedd
Ar ofyn y canrifoedd,
Un a roes sail i'r oesau
Un a'i ras fydd yn parhau;
Cennad fu'r garreg honno
A duw o ddyn ydoedd o.

Cic

Un gôl yn fwy na'm gelyn – a fynnaf
        A hynny'n reit sydyn,
    O Dduw, rho gymorth i ddyn
    Anelu rhwng dau bolyn.

Myfi fy hun

Fy myd i gyd mewn milltir sgwâr, – yr hwyl
        Ar aelwyd ddigymar;
    Bywyd cêl yng ngwynfyd câr
    Oedd cynnydd dyddiau cynnar

Os i oed fynd yn sydyn – daeth aelwyd
        A theulu i'm canlyn,
    O heneiddio bob blwyddyn
    Rwyf yn gallach, doethach dyn.